EL CABALLERO DE OLMEDO

clásicos Castalia

COLECCIÓN FUNDADA POR
DON ANTONIO RODRÍGUEZ-MOÑINO

|990

DIRECTOR
DON ALONSO ZAMORA VICENTE

Colaboradores de los volúmenes publicados:

J. L. Abellán. F. Aguilar Piñal. G. Allegra. A. Amorós.
F. Anderson. R. Andioc. J. Arce. I. Arellano. E. Asensio.
R. Asún. J. B. Avalle-Arce. F. Ayala. G. Azam. P. L. Barcia.
G. Baudot. H. E. Bergman. B. Blanco González. A. Blecua.
J. M. Blecua. L. Bonet. C. Bravo-Villasante. J. M. Cacho Ble-
cua. M.ª J. Canellada. J. L. Cano. S. Carrasco. J. Caso Gon-
zález. E. Catena. B. Ciplijauskaité. A. Comas. E. Correa Cal-
derón. C. C. de Coster. D. W. Cruickshank. C. Cuevas.
B. Damiani. G. Demerson. A. Dérozier. J. M.ª Díez Borque.
F. J. Díez de Revenga. R. Doménech. J. Dowling. A. Duque
Amusco. M. Durán. H. Ettinghausen. A. R. Fernández. R. Fe-
rreres. M. J. Flys. I.-R. Fonquerne. E. I. Fox. V. Gaos. S. Gar-
cía. L. García Lorenzo. M. García-Posada. A. A. Gómez Ye-
bra. J. González-Muela. F. González Ollé. G. B. Gybbon-
Monypenny. R. Jammes. E. Jareño. P. Jauralde. R. O. Jones.
J. M.ª Jover Zamora. A. D. Kossoff. T. Labarta de Chaves.
M.ª J. Lacarra. C. R. Lee. I. Lerner. J. M. Lope Blanch.
F. López Estrada. L. López-Grigera. L. de Luis. F. C. R. Mal-
donado. N. Marín. E. Marini-Palmieri. R. Marrast. F. Mar-
tínez García. M. Mayoral. D. W. McPheeters. G. Mercadier.
W. Mettmann. I. Michael. M. Mihura. J. F. Montesinos. E. S.
Morby. C. Monedero. H. Montes. L. A. Murillo. A. Nougué.
G. Orduna. B. Pallares. E. Paola. J. Paulino. M. A. Penella.
J. Pérez. M. A. Pérez Priego. J.-L. Picoche. J. H. R. Polt.
A. Prieto. A. Ramoneda. J.-P. Ressot. R. Reyes. F. Rico. D.
Ridruejo. E. L. Rivers. E. Rodríguez Tordera. J. Rodríguez-
Luis. J. Rodríguez Puértolas. L. Romero. J. M. Rozas. E. Ru-
bio Cremades. F. Ruiz Ramón. C. Ruiz Silva. G. Sabat de
Rivers. C. Sabor de Cortazar. F. G. Salinero, J. Sanchis-Banús.
R. P. Sebold. D. S. Severin. D. L. Shaw. S. Shepard. M. Smer-
dou Altolaguirre. G. Sobejano. N. Spadaccini. O. Steggink.
G. Stiffoni. J. Testas. A. Tordera. J. C. de Torres. I. Uría
Maqua. J. M.ª Valverde. D. Villanueva. S. B. Vranich. F. We-
ber de Kurlat. K. Whinnom. A. N. Zahareas. I. de Zuleta.

LOPE DE VEGA

EL CABALLERO DE
OLMEDO

*Edición,
introducción y notas
de*
JOSEPH PÉREZ

QUINTA EDICIÓN

clásicos castalia

Madrid

Copyright © Editorial Castalia, S. A., 1983
Zurbano, 39 - 28010 Madrid - Tel. 319 58 57

Cubierta de Víctor Sanz

Impreso en España - Printed in Spain
Unigraf, S. A. Móstoles (Madrid)

I.S.B.N.: 84-7039-054-6
Depósito Legal: M. 24.110-1990

SUMARIO

INTRODUCCIÓN CRÍTICA

I. EL TEMA DEL CABALLERO DE OLMEDO

EL Registro General del Sello de Simancas relata el caso con estilo escueto y forense.[1] El miércoles 6 de noviembre de 1521, don Juan de Vivero, montado en una jaca, venía "salvo e seguro por el camino real de la villa de Medina del Campo"; se dirigía a Olmedo, su patria, y le acompañaba su mayordomo, Luis de Herrera, en una mula. A la mitad del camino, "cerca de la casa que dicen de la Sinovilla", le aguardaba Miguel Ruiz, también vecino de Olmedo, con tres hombres armados de diversas armas, "quedando otros en reguarda". Miguel Ruiz dio una gran lanzada a don Juan "de que le quedó el hierro en el cuerpo y murió casi súbitamente"; luego mandó a los que con él venían que matasen al mayordomo y todos fueron a acogerse al monasterio de La Mejorada, antes de huir a Valencia. La causa seguida por doña Beatriz de Guzmán, viuda de don Juan de Vivero, aduce otras circunstancias: don Juan había reñido con Miguel Ruiz y le había dado de palos; el joven había llevado mal la afrenta y procuró vengarse, quizá empujado por su madre, doña Catalina de Contreras, y por Juan de Ortega, vecino de Olmedo.

---

[1] V. J. Pérez, *La mort du chevalier d'Olmedo* (V. Bibliografía).

Así murió don Juan de Vivero, caballero de Santiago, "de noble sangre y muy limpia y hijodalgo", regidor de Olmedo, que había sido poco antes combatiente del ejército real en la guerra de las Comunidades. Pronto se borran las circunstancias del suceso; sólo queda el recuerdo del joven caballero muerto en el camino de Medina del Campo a Olmedo y una copla canta su destino trágico:

> "Que de noche le mataron
> al caballero,
> la gala de Medina,
> la flor de Olmedo",

copla que se hace rápidamente popular. A mediados del siglo, Antonio de Cabezón (1510-1566) compone unas melancólicas *Diferencias sobre el canto llano del caballero,* recopiladas por su hijo Hernando en las *Obras de música para tecla, arpa y vihuela* impresas en Madrid, 1578. El hecho demuestra la difusión de la copla y del tema, probablemente reducido ya a los cuatro versos citados arriba, sin más detalles. ¿Alude a ella Cristóbal de Castillejo por los años en que Cabezón compone sus *Diferencias* en estos dos versos:

> "Caballeros de Medina
> mal amenazado me han"?

El primero suena a dicho proverbial; el segundo es sacado del romance de las quejas de doña Lambra; los dos versos aparecen citados en el *Vocabulario* de Correas (1627) con el siguiente comentario: "al [caballero] de Olmedo". El mismo Correas había reproducido dos años antes la copla sobre el caballero de Olmedo en su *Arte de la lengua.* [2]

---

[2] Los versos de Castillejo en sus *Obras,* ed. Domínguez Bordona, Clás. Cast., t. 79, Madrid, Espasa-Calpe, 1957, p. 203. La cita de Correas en el *Vocabulario,* ed. L. Combet, Bordeaux, 1967, p. 380. Véase también *Arte de la lengua,* ed. E. Alarcos García, Madrid, C.S.I.C., 1954, p. 449.

Todo esto parece indicar la rápida difusión de la copla en Castilla al mismo tiempo que se esfumaban las circunstancias históricas del suceso. La leyenda trata de aclarar el enigma del cantar. ¿Por qué murió el caballero? Se habla de rivalidad amorosa; se cuenta que el caballero era el que abrió la zanja para que corriera el río Adaja en Medina del Campo, hazaña exigida por una dama antes de rendirse; pero la dama no quiso cumplir su promesa e hizo matar al caballero... [3] Contra esta leyenda reaccionan eruditos locales, ya en el siglo XVI. Fray Antonio de Aspa restablece la verdad histórica; cita el nombre del caballero, don Juan de Vivero, la fecha (noviembre de 1521) y las circunstancias de su muerte, pero calla el motivo que tuvo Miguel Ruiz para matar al caballero. [4] Otras versiones posteriores de la leyenda recogen estos datos y añaden otros; una explica que la riña entre don Juan y Miguel Ruiz tuvo motivos casuales: una discusión acerca de perros de caza; [5] otra sitúa el suceso en tiempos de los Reyes Católicos... [6]

---

[3] Tradición oral recogida por F. Romero y Gil Sanz, *El caballero de Olmedo*, en *Revista contemporánea*, t. CVII, 15 de julio de 1897, p. 82-94, y citada por M. Menéndez Pelayo, *Estudios...*, p. 58.

[4] Fray Antonio de Aspa, *Historia manuscrita de la Mejorada*, manuscrito conservado en la Biblioteca de la Real Academia de la Historia, ms. 9/526 (col. Salazar, H-3), fol. 50 v.º-52 r.º. Esta es la fuente del relato debido a Juan de Montalvo (*Memorial histórico de Medina del Campo* —1633—) e inserto por Ildefonso Rodríguez Fernández en su *Historia de Medina del Campo*, t. I, Madrid, 1930, p. 395-397. También conocía el texto de Aspa Alonso López de Haro, autor de un *Nobiliario genealógico de los reyes y títulos de España* (Madrid, 1622), en el cual se añaden datos concretos sobre los padres y familia de don Juan de Vivero. Se suele citar otra fuente inédita, la *Cronología de los padres priores de la Mejorada desde el año de 1396*, ms. 258 de la Biblioteca del Colegio de Santa Cruz de Valladolid; en realidad, este manuscrito sólo dice lo siguiente (fol. 8 v.º): "mientras anduvo en la visita general [el maestro fray Luis de Sevilla] sucedió la muerte del cavallero de Olmedo, cuia historia hallarás al folio [un blanco] deste libro"; en los folios siguientes no aparece tal historia, probablemente por descuido del copista.

[5] Antonio Prado y Sancho, *Novenario de Nuestra Señora de la Soterraña, con siete recuerdos históricos, panegíricos y morales*, iné-

¿Qué importa? Sobran razones para pensar que la leyenda no debió salir del círculo estrecho de las tierras de Medina; pocas o ningunas referencias a ella encontramos en las obras inspiradas por el caso del caballero que vamos a examinar ahora. La fortuna del tema parece únicamente debida a la popularidad de la copla, ya demostrada por la composición de Cabezón y la cita de Correas. A fines del siglo XVI existía un baile del caballero; el *Tesoro* de Covarrubias (1611) lo da como muy conocido en su tiempo y se encuentran muchas alusiones a este baile en varias obras impresas a principios del XVII; incluso existe una versión, el *Baile famoso del caballero de Olmedo,* en la *Séptima parte* de las comedias de Lope (Madrid, 1617) pero la atribución a Lope carece de todo fundamento. [7] Todo ello, como acertadamente apunta Francisco Rico, señala el primer cuarto del XVII como la época en que el tema del caballero gozó de su mayor boga. Entonces fue también cuando el tema salió a las tablas en una comedia escrita, al parecer, en 1606, *El Caballero de Olmedo o la viuda por casar,* impresa con otras en fecha posterior a 1626 y publicada en época moderna, primero por Schaeffer, como anónima, luego por E. Juliá Martínez que la atribuye a Cristóbal de Morales (Menéndez Pelayo se inclinaba a darle por autor

---

dito del siglo XVIII, pasaje citado por Menéndez Pelayo, *op. cit.,* p. 57.

6 *Memorias y recuerdos del poder tan grande que tubo la Yltre villa de Medina del Campo,* inédito citado por E. Juliá Martínez en su edición de la comedia anónima, p. 14-15.

7 "Quando queremos sinificar lo poco que estimamos alguna cosa, solemos decir: No lo estimo en el baile del rey don Perico, por no dezir en el baile del rey don Alonso, que entre otros avía uno que tenía este nombre, por ser la canción del dicho rey, como la gallarda, los Gelves y otros bailes: el cavallero, el villano de los cantarcillos: esta noche le mataron al cavallero, y al villano que le dan, etc." (Covarrubias, *Tesoro*). Véase en la edición Rico (p. 32-37) una lista de las alusiones al baile que pueden encontrarse en obras impresas a principios del siglo XVII.. Las *Memorias* citadas en la nota 6 hablan también del "romance que bailaron unos representantes".

Andrés de Claramonte). [8] En esta obra, antecedente inmediato de la de Lope, el héroe, don Alonso de Girón, requiere de amores a doña Elvira, pero tiene un rival, un conde inglés, que será su asesino; la acción se sitúa en el reinado de Enrique III; nada recuerda pues las circunstancias históricas del suceso; todo se reduce a un tema popular, libremente interpretado por la fantasía de un autor de comedias. En este momento en que la copla alcanza su mayor éxito la recoge Lope de Vega antes de que se vuelva asunto trillado y le da categoría de obra de arte muy por encima de todo lo que se había escrito y cantado hasta la fecha.

II. LOPE Y EL CABALLERO DE OLMEDO

Lope conocía la copla; tres veces por lo menos la había utilizado antes de su gran comedia, pero de paso, sin darle mucha importancia, primero en su comedia *El santo negro Rosambuco,* impresa en 1612, en que aparece cantada en un baile de negros:

> "Y esta noche le mataron
> a la cagayera,
> quien langalan den Mieldina
> la flor de Olmiela"; [9]

luego, vuelta a lo divino, en dos autos sacramentales:

> "Que de noche le mataron
> al divino caballero,

8 *Ocho comedias desconocidas... tomadas de un libro antiguo de comedias nuevamente hallado y dadas a luz por Adolf Schaeffer,* t. I, Leipzig, 1887, p. 263-338. Véase ahora *Comedia de El Caballero de Olmedo,* edición, observaciones preliminares y notas de Eduardo Juliá Martínez, Madrid, C.S.I.C., 1944 (*Revista de Bibliografía Nacional,* anejo II).

9 *Obras de Lope de Vega,* ed. de la Real Academia Española, t. IV, p. 375.

que era la gala del Padre
y la flor de tierra y cielo"; [10]

"Que de noche le mataron
al caballero,
a la gala de María,
a la flor del cielo". [11]

La idea de dramatizar la copla y de tomarla como esquema de una comedia original no surge antes de 1615; según Bruerton y Morley, Lope debió de escribir su obra entre 1615 y 1626, más probablemente entre 1620 y 1625, términos que Montesinos propone reducir a 1615 y 1621, inclinándose a adoptar el año de 1620 como fecha de composición. [12] La comedia sería así fruto de la vejez de Lope y recoge la experiencia técnica del dramaturgo al mismo tiempo que se carga de resonancias poéticas y de evocaciones sentimentales rejuvenecidas por el recuerdo y la añoranza.

Lope sitúa la acción dramática a principios del siglo XV, en tiempos del rey don Juan II. Como lo apunta Rico, la *Crónica de don Juan II*, recopilación de Galíndez de Carvajal, le suministra varios elementos para el marco histórico de la comedia pero sería descabellado ver en ella una fiel reconstitución o evocación de la época. Sarrailh, quien, después de Menéndez Pelayo, estudió muy a fondo el ambiente histórico del *Caballero*, destaca los aciertos de Lope, cuando éste pinta por ejemplo el carácter débil del rey frente a su valido, el condestable don Álvaro de Luna, o cuando recuerda las medidas tomadas a principios del reinado contra moros y judíos, pero también descubre las inexactitudes y los anacronismos, trátese del papel atribuido a San Vicente Ferrer o de las bodas reales: de

---

[10] *Auto del pan y del palo, ibid.*, t. II, p. 230.
[11] *Auto de los Cantares, ibid.*, II, p. 411.
[12] Montesinos se fija en un detalle para precisar esta fecha: el romance *"Por la tarde salió Inés"* aparece en la *Primavera y flor* impresa en Madrid, 1621, procedente de la comedia de Lope (*Estudios*, p. 234).

la comedia parece deducirse que el rey estaba casado
y había casado a sus hermanas cuando se entrevistó
con el predicador, lo cual supone que la acción se sitúa
después de 1420; ahora bien, San Vicente Ferrer muere
en 1419. Lope habla también del Infante (¿don Fernando, tío del rey?), cosa a todas luces imposible después de 1420, puesto que este personaje murió en
1416... De todo esto Sarrailh saca la conclusión lógica
que *El Caballero de Olmedo* no puede en ningún modo
aspirar a la categoría de drama histórico. Pero ¿es
que Lope se proponía mostrarse fiel a las circunstancias
de tiempo y lugar? Probablemente no. Le bastaba situar
su acción en un ambiente histórico, muy convencional
por cierto, que le permitiese dar rienda suelta a su
fantasía poética con un mínimo de verosimilitud, propósito perfectamente logrado. Ni siquiera encontramos
en la comedia referencias al caso concreto del caballero
muerto en 1521. ¿Qué más da? El interés de la obra
no está ahí. A fin de cuentas poco debe *El Caballero
de Olmedo* a la historia y mucho a la leyenda y a la
poesía. A nuestro juicio, esto no constituye ningún in-
conveniente, todo al contrario quizá. Como acontece
con otros dramas, de los mejores de Lope, la base real
e histórica es muy frágil: una copla envuelta en un
fuerte halo de leyenda e inspiración popular que esta-
blece enseguida el contacto con el público de los co-
rrales y sitúa la comedia en un ambiente poético muy
por encima del simple caso anecdótico, de por sí des-
provisto de todo misterio y por consiguiente de toda
posibilidad de estilización literaria. [13]

Lope conocía la comedia de 1606, no exenta de recursos dramáticos, como la rivalidad amorosa del caballero y del conde inglés, favorecido por la reina (en

---

[13] Sobre este aspecto de la creación poética en Lope, a partir de
coplas o cantares populares, v. J. F. Montesinos, *Estudios*, p. 305-
312; F. Lázaro, *Lope de Vega*, p. 65; A. Zamora Vicente, *Lope de
Vega*, p. 214, y N. Salomon, *Recherches sur le thème paysan dans
la "comedia" au temps de Lope de Vega*, Bordeaux, 1965, p. 383-394
(para el caso de *Peribáñez*, comedia también inspirada en una copla
tradicional).

la obra de Lope, es el rey quien apoya los proyectos matrimoniales de don Rodrigo), el propósito de la bella de hacerse monja para librarse de un casamiento que le repugna, el resentimiento del conde contra el caballero, que no sólo le vence en amores, sino que además se muestra mucho más brioso y diestro en la corrida; esta situación conflictiva preparaba el desenlace final: la emboscada en el camino de Medina a Olmedo y el asesinato del caballero. Lope ha conservado varios de estos recursos pero los ha superado e integrado en su propio sistema dramático hasta llevarlos a una perfección raras veces lograda. En su obra, doña Inés también finge vocación religiosa a fin de rechazar la mano de don Rodrigo, escapatoria que se vuelve realidad al final, después de la muerte del caballero. Pero estos elementos quedan superados por el genio poético de Lope que logra con *El Caballero* una de sus mejores creaciones. Los personajes principales se agrupan por parejas. Tenemos tres parejas claves: doña Inés-doña Leonor, don Rodrigo-don Fernando, don Alonso-Tello, o sea la pareja de las amorosas, la pareja de los traidores y la pareja clásica galán-figura del donaire, ésta última una de las más acertadas del repertorio de Lope. Don Alonso reune en sí todos los caracteres que Montesinos, en un estudio fundamental, destaca en los héroes de Lope: [14] la nobleza de la sangre, el valor personal, la sensibilidad amorosa y la sensibilidad para la aventura y el riesgo que le hace arrostrar los peligros siendo el amor también una aventura, "la más gustosa aventura", rodeada de dificultades y peligros. En contraste con don Alonso, Tello ofrece el ejemplo típico de la figura del donaire, con sus rasgos característicos: la comicidad voluntaria, el prosaismo, el picarismo, la cobardía unida con la fanfarronería, la venalidad...

El personaje de Fabia plantea otros problemas. Desde el principio, se impone la comparación con la Ce-

---

14 J. F. Montesinos, *Estudios*.

lestina de Rojas, comparación sugerida expresamente por el dramaturgo. [15] El ambiente celestinesco es patente en *El Caballero*: alcahuetería y brujería van íntimamente ligadas en el personaje de Fabia. [16] ¿Cómo interpretar esta resurrección del tema celestinesco en la comedia? W. Mc Crary ha desarrollado una teoría basada en la mezcla de elementos turbios (las reminiscencias de la obra de Rojas) y de sentimientos refinados (el amor cortés) en *El Caballero*. Según él, el amor cortés supone y exige una distancia infranqueable entre los amantes: o la amada pertenece a otra clase social o está casada; de todas formas, se trata de un amor imposible, puesto que su conclusión legítima, el matrimonio, no está al alcance de los amantes. ¿Es éste el caso para don Alonso y doña Inés? Sí, afirma Mc Crary, ya que don Alonso acude a una alcahueta y que doña Inés admite el recurso a una tercería: un amor legítimo no necesitaría alcahuetas. La presencia de Fabia y el ambiente celestinesco serían pues imprescindibles en *El Caballero* por tratarse de un amor imposible. Esto supondría que don Alonso no pensase en casarse con doña Inés, lo cual no es exacto. Al contrario, don Alonso repite con insistencia que su mayor deseo es casarse con ella. [17] Hay más: al caballero se

15 Véase, por ejemplo, la primera aparición de Fabia (v. 40 y sig.); las palabras cambiadas por Tello y Ana, criada de Fabia, al principio del acto II:

TELLO.   "¿Está en casa Melibea?
             Que viene Calisto aquí.
ANA.   Aguarda un poco, Sempronio" (v. 1002-1004), etc.

16 Antes de entregar a Inés la carta de don Alonso, Fabia la tiene que "aderezar" (v. 196); a continuación, alusión a los milagros de Lucifer que es capaz de obrar Fabia (v. 200-201); ella misma confía en sus "hechizos y conjuros" (v. 817), etc.

17 ALONSO.
             "Entré imaginando bodas" (v. 153);
             "Para que mi fe consiga
             esperanzas de casarme" (v. 176-177).

Ya herido de muerte, exclama el caballero:

             "¡Dios mío! ¡Piedad! ¡Yo muero!
             Vos sabéis que fue mi amor
             dirigido a casamiento" (v. 2473-2475).

ofrecen varias oportunidades de quedarse con su amada y cumplir sus deseos, pero siempre rechaza éste la idea de abusar de su prometida, precisamente porque sus proyectos van enderezados al matrimonio. [18] De no ocurrir el fatal desenlace y la muerte de don Alonso, la intriga debía terminar por una boda. La interpretación de Mc Crary carece, pues, de toda base seria: no existe ninguna imposibilidad objetiva al matrimonio de los amantes y el recurso a Fabia no lo exige la lógica de una situación celestinesca.

Fijándose en estos aspectos, M. Bataillon ha propuesto una explicación mucho más convincente. La deuda de Lope para con *La Celestina* es evidente, pero se trata de un juego literario, no de una resurrección del tema. El recurso a Fabia le permite al autor introducir en su obra una situación y un ambiente aparentemente celestinescos para el mayor agrado de los espectadores cultos sin que estas reminiscencias lleguen a crear una atmósfera turbia en torno a los protagonistas. Fabia, como Celestina, es bruja, pero Lope no cree en las hechicerías y su héroe no hace ningún caso de ellas. [19]

[18] ALONSO.

"Bien sabe aquella noche
que pudiera ser mía;
cobarde amor, ¿qué aguardas,
cuando respetos miras?" (v. 1651-1654).

[19] ALONSO.

"No creo en hechicerías,
que todas son vanidades" (v. 983-984).

En el acto III, cuando le sale una sombra al encuentro, don Alonso busca explicaciones racionales:

"Todas son cosas que finge
la fuerza de la tristeza,
la imaginación de un triste.
. . . .
O embustes de Fabia son,
que pretende persuadirme
porque no vaya a Olmedo" (v. 2270-2279).

Lo mismo hace al oir la copla del labrador:

"¡Qué de sombras finge el miedo!
¡Qué de engaños imagina!" (v. 2412-2413).

Tello acompaña a Fabia para sacar una muela a un ahorcado, pero este episodio, tratado con suma ironía, sólo sirve para poner de relieve la cobardía del gracioso. [20] Por fin, como hemos apuntado ya, falta el elemento clave: el amor deshonesto, no enderezado al matrimonio. En este aspecto esencial, don Alonso no puede en ningún modo equipararse a Calisto: él quiere casarse con Inés; no le domina su loca pasión; al contrario siempre permanece fiel a sus deberes y a su condición de caballero: leal y respetuoso para con doña Inés; generoso para con su rival, al que salva de los cuernos de un toro; hijo solícito además, rasgo que será causa indirecta de su muerte: por querer visitar a su padre, después de la corrida, emprende don Alonso, de noche, el viaje de Medina a Olmedo, lo que dará ocasión a su rival para preparar su emboscada y asesinar al caballero. En *El Caballero de Olmedo* habría que ver pues unos recuerdos de *La Celestina*, pero depurados, desprovistos de esa morbosidad y de esa pasión loca y ciega características de los héroes de Rojas.

Ni comedia de costumbres ni mera intriga de amor tachada de elementos celestinescos, *El Caballero de Olmedo* cobra toda su fuerza evocadora del desenlace trágico y de su preparación a lo largo de la comedia, desenlace que los espectadores conocen y esperan, ya que todos se saben de memoria la copla que resume el destino del protagonista. En *El Caballero* notamos desde el principio la presencia, primero simplemente sugerida, luego afirmada con más y más insistencia, del

---

Tello tampoco cree mucho en las hechicerías:

> "También me espanta
> ver este amor comenzar
> por tantas hechicerías,
> y que cercos y conjuros
> no son remedios seguros
> si honestamente porfías" (v. 953-958).

[20] Véase el relato que hace el mismo Tello de la aventura, v. 959 sig.

hado, ese oscuro destino, esa "fuerza ciega que conduce a los héroes trágicos a acciones que están fuera de su voluntad". [21] Durante las tres jornadas del drama, don Alonso no hace sino encaminarse hacia la muerte, rodeado de la simpatía con que el público sigue sus pasos, admirable muestra de suspensión del interés, conforme a las normas del *Arte nuevo*. [22]

El público conoce el destino del caballero, pero éste lo presiente. Ya desde el primer encuentro con doña Inés, deslumbrado por su belleza, hechizado por su gracia, cuando la sigue en la capilla donde ella va a oir misa, don Alonso no puede menos de pensar, aunque de paso, en la muerte:

"Vime sentenciado a muerte,
porque el amor me decía:
mañana mueres, pues hoy
te meten en la capilla"
(v. 155-158).

A lo largo de los dos primeros actos, don Alonso pasa por momentos de viva exaltación amorosa, pero siempre le persigue una inquietud vaga, una angustia que no es capaz de definir, de la que se burla a ratos pero que le obsesiona. Prueba de ello es el sueño que cuenta don Alonso al finalizar el acto II; el caballero no cree en estos presagios que no dejan sin embargo de impresionarle, aunque no hacen mella en su ánimo es-

21   F. Lázaro, *Introducción*, p. 207.
22

"...La solución no la permita
hasta que llegue a la postrera escena,
porque, en sabiendo el vulgo el fin que tiene,
vuelve el rostro a la puerta y las espaldas
al que esperó tres horas cara a cara,
que no hay más que saber en lo que para"
(*Arte Nuevo*, v. 234-239).

"En el acto primero ponga el caso,
En el segundo enlace los sucesos,
De suerte que hasta el medio del tercero
Apenas juzgue nadie en lo que para"
(*Ibid.*, v. 298-301).

forzado. [23] En el acto III es donde, sobre todo, se multiplican los avisos. Al despedirse de Inés, don Alonso glosa los versos que pronto recibirán tan dura confirmación:

> "Puesto ya el pie en el estribo,
> con las ansias de la muerte..."

Bien puede el caballero burlarse de "estas imaginaciones", "sueños y fantasías"; lo cierto es que se va preocupado a Olmedo. A los pocos pasos, le sale al encuentro una sombra misteriosa que no contesta a sus preguntas sino para turbarle más:

> "¿Quién es? Hable.
> ....
> Don Alonso.
>   ¿Cómo?
> Don Alonso"
>   (v. 2255-2260).

Sombra que desaparece luego en el silencio de la noche. Tampoco hace caso el caballero de estas imaginaciones que le parecen embustes de Fabia para que se quede en Medina. Luego viene el momento de más densa emoción trágica, cuando un labrador cruza el camino de don Alonso cantándole la copla de su propio destino:

> "Que de noche le mataron
> al caballero..."
>   (v. 2371).

En medio de la noche en la soledad del campo castellano, la voz misteriosa cobra una resonancia trágica. El labrador trata de detener al caballero:

23 TELLO.
> "¿Agora en sueños reparas?
> ALONSO.
> No los creo, claro está,
> pero dan pena" (v. 1746-1748).

"Volved atrás; no paseis
deste arroyo...
....
Volved, volved a Medina"
(v. 2406-2410).

Por primera vez, don Alonso siente miedo pero su valor personal puede más; sigue su camino para encontrarse, por fin, no ya con sombras, sino con el peligro concreto que se dispone a arrostrar. Pero don Rodrigo, su rival, no se presta a un combate leal:

"Yo vengo a matar; no vengo
a desafíos"
(v. 2455-2456).

Cae el caballero, muerto a traición. El genio de Lope llega así a recrear, a partir de los datos escuetos de la copla popular, las circunstancias históricas que acompañaron el asesinato de don Juan de Vivero, en noviembre de 1521, en el camino de Medina a Olmedo... El destino se ha cumplido, en el silencio de aquella noche castellana, tan intensamente evocada en los versos del acto III:

"Del agua el manso rüido
y el ligero movimiento
destas ramas con el viento
mi tristeza aumentan más.
....
¡Qué escuridad! Todo es
horror..."
(v. 2345-2358).

"Fatalismo tétrico", escribe Menéndez Pelayo. Esto fuera cierto si el caballero sucumbiera ante fuerzas oscuras, dominado a su vez por el terror. Pero no es así en la obra de Lope: don Alonso presiente su destino; no se deja vencer por el miedo ni por la fatalidad; arrostra el peligro valerosamente, heroismo tanto más admirable y emocionante cuanto sólo nosotros, lectores o espectadores, sabemos que saldrá frustrado.

En este aspecto, *El Caballero de Olmedo,* más que una tragicomedia, corno reza el subtítulo de la primera edición, viene a ser una "trágica historia" (v. 2732), una aproximación a un género raras veces tratado en el Siglo de Oro español, la tragedia. En *El Caballero,* notamos los elementos patéticos y esa lucha angustiada contra un destino ineluctable, característica de la tragedia clásica; pero la mezcla de elementos cómicos y burlescos, en torno a los personajes de Fabia y Tello, le impide acceder propiamente a la categoría de tragedia pura. [24]

La obra de Lope constituye el más alto nivel alcanzado en España por el tema del caballero de Olmedo. Después de Lope, sólo encontramos una parodia, debida a la pluma de Francisco Antonio de Monteser, [25] y un largo romance de don Francisco de Borja, príncipe de Esquilache, última resurgencia de la leyenda, al parecer, en el Siglo de Oro. [26]

JOSEPH PÉREZ

[24] V. McCrary (v. Bibliografía) ha procurado estudiar *El Caballero de Olmedo* como tragedia; su demostración no llega a convencernos y menos aún la interpretación simbólica del sueño del caballero; véase nuestra reseña en *Bulletin Hispanique,* t. LXX [1968], p. 201-202. Para aclarar la significación de los vocablos *tragedia* y *tragicomedia* en el teatro de Lope, véase el artículo de E. S. Morby en *Hispanic Review* (v. Bibliografía).

[25] Francisco Antonio de Monteser, *El Caballero de Olmedo,* en *El mejor de los mejores libros que han salido de comedias nuevas,* Alcalá de Henares, 1651. A juicio de Menéndez Pelayo, esta parodia viene a ser "quizá la mejor comedia burlesca o de disparates de nuestro antiguo teatro".

[26] En las *Obras en verso* de dicho autor, publicadas en Madrid, 1648. El romance del príncipe de Esquilache puede leerse en Menéndez Pelayo, *Estudios,* p. 60-62.

MÉTRICA DE LA OBRA

Décimas (v. 1-30); redondillas (v. 31-74); romance *í-a* (v. 75-182); redondillas (v. 183-406); romance *á-a* (v. 407-460); décimas (v. 461-490); redondillas (v. 491-502); soneto (v. 503-516); redondillas (v. 517-532); romance *á-e* (v. 533-570); redondillas (v. 571-622); romance *á-a* (v. 623-706); redondillas (v. 707-786); romance *é-o* (v. 787-886); redondillas (v. 887-1032) [faltan dos versos después del 1016]; décimas (v. 1033-1092); redondillas (v. 1093-1100); quintilla (v. 1101-1105); redondillas (v. 1106-1109); quintillas dobles (glosa) (v. 1110-1159); redondillas (v. 1160-1247); romance *é-a* (v. 1248-1329); tercetos (v. 1330-1390); redondillas (v. 1391-1462); romance *é-o* (v. 1463-1550); redondillas (v. 1551-1606); romancillo heptasílabo terminado en endecasílabo *í-a* (v. 1607-1656); redondillas (v. 1657-1724); romance *á-a* (v. 1725-1810); redondillas (v. 1811-2010); romance *ó-o* (v. 2011-2074); redondillas (v. 2075-2174); quintillas dobles (glosa) (v. 2175-2224); redondillas (v. 2225-2248); romance *í-e* (v. 2249-2300); octavas reales (v. 2301-2340); décimas (v. 2341-2370); redondillas (v. 2375-2382); seguidilla (v. 2383-2389); redondillas (v. 2390-2413); romance *é-o* (v. 2414-2505); redondillas (v. 2506-2585); romance *é-o* (v. 2586-2733).

En resumen:

redondillas:	1306	versos (faltan 2 versos),	47,7 %	del total;
romances:	1046	"	38,2 %	
décimas:	250	"	9,1 %	
tercetos:	60	"	2,1 %	
octavas:	40	"	1,4 %	
soneto:	14	"	0,5 %	
seguidilla:	7	"	0,2 %	
quintilla:	5	"	0,1 %	

NOTICIA BIBLIOGRÁFICA

Veintiquatro Parte perfeta de las comedias del Fénix de España Frey Lope Félix de Vega Carpio, del ábito de San Juan, Familiar del Santo Oficio de la Inquisición, Procurador fiscal de la Cámara Apostólica, sacadas de sus verdaderos originales, no adulteradas como las que hasta aquí han salido. Zaragoza, Pedro Vergés, 1641.

Comedias escogidas de Lope de Vega, ed. J. E. Hartzenbusch, t. II (tomo XXVI de la Biblioteca de Autores Españoles).

Obras de Lope de Vega publicadas por la Real Academia Española, vol. X, con prólogo de M. Menéndez Pelayo, Madrid, 1899.

Teatro de Lope de Vega. Selección y prólogo de A. Castro. Biblioteca Literaria del Estudiante, t. XIV, Madrid, Instituto-Escuela, 1933.

Lope de Vega. *El Caballero de Olmedo.* Edición y notas por I. I. Macdonald. Cambridge, University Press, 1934.

————. *Obras dramáticas escogidas.* Edición y notas por E. Juliá Martínez, t. III, Madrid, Ed. Hernando, 1935.

————. *El Caballero de Olmedo.* Prólogo y notas de A. Morera Sanmartín, Medina del Campo, 1935.

————. *El Caballero de Olmedo.* Edición y prólogo de J. Sarrailh. París, Les Belles Lettres, 1935.

————. *El Caballero de Olmedo.* Ed. J. M. Blecua, Clásicos Ebro, n.º 28, Zaragoza, Ed. Ebro, 1943.

————. *El Caballero de Olmedo,* en *Obras escogidas,* ed. F. C. Sáinz de Robles, t. I, Madrid, Aguilar, 1946.

Lope de Vega. *El Caballero de Olmedo.* Proemio por J. de Entrambasaguas, Barcelona, Porter, 1948.

———. *Le chevalier d'Olmedo.* Texto francés por A. Camus, París, Gallimard, 1957.

———. *El Caballero de Olmedo.* Colección Teatro Universal, México, 1961.

———. *El Caballero de Olmedo,* seguido de una antología lírica y dramática (Fuenteovejuna, La dama boba). Biografía, prólogo y notas de G. Díaz-Plaja, Clásicos de siempre, n. 6. Barcelona, La Espiga, 1961.

———. *El Caballero de Olmedo.* Edición, prólogo y notas de Francisco Rico, Salamanca, Ed. Anaya, 1967.

———. *El Caballero de Olmedo.* Introducción y notas por Guido Mancini. Colección Literatura año 2000, n.º 3, Madrid, ed. La Muralla, 1969.

BIBLIOGRAFÍA SELECTA

L A bibliografía sobre Lope es inmensa; la lista que damos a continuación no pretende en ningún modo ser exhaustiva. Recoge sólo los estudios más valiosos sobre la vida y obra de Lope en general y los trabajos particulares sobre *El Caballero de Olmedo*.

Anderson Imbert, E. "Lope dramatiza un cantar". En *Asomante,* San Juan de Puerto Rico, 1952, p. 17-22.

Arco, R. del. "Lope de Vega". En *Historia general de las Literaturas Hispánicas,* dirigida por G. Díaz Plaja, t. III, Barcelona, 1953.

Astrana Marín, L. *Vida azarosa de Lope de Vega.* Barcelona, Juventud, 1935.

Balaguer, V. *Historias y tradiciones.* Madrid, 1896.

Barrera, C. A. de La. *Nueva Biografía.* Madrid, 1890 [Tomo I de las *Obras* de Lope publicadas por la Real Academia Española].

Bataillon, M. *La Célestine selon Fernando de Rojas.* Paris, Didier, 1961.

Blecua, J. M. "Nota al *Caballero de Olmedo*". En *Nueva Revista de Filología Hispánica,* t. VIII, 1954, p. 190.

Carayon, M. *Lope de Vega.* Paris, Rieder, 1929.

Correa Calderón, E., y F. Lázaro. *Lope de Vega y su época,* I. Salamanca, Anaya, 1961.

Entrambasaguas, J. de. *Estudios sobre Lope de Vega.* 3 vol. Madrid, C.S.I.C., 1946-1958.

Entrambasaguas, J. de. *Vivir y crear de Lope de Vega*. Madrid, C.S.I.C., 1946.

Fita, F. "*El Caballero de Olmedo* y la Orden de Santiago". En *Boletín de la Real Academia de la Historia*, t. XLVI [1905], p. 398-422.

———. "Don Rodrigo de Vivero y Velasco, nieto del famoso caballero de Olmedo". *Ibid.*, p. 452-474.

Gómez de la Serna, R. "*El caballero de Olmedo*". En *Revista cubana*, La Habana, XIV, 1940, p. 38-55.

———. *Lope de Vega*. Buenos Aires, 1945.

G[onzález] de Amezúa, A. *Lope de Vega en sus cartas*. Madrid, 1935.

———. "Estudios sobre Lope de Vega". En *Opúsculos histórico-literarios*, II, Madrid, 1951, p. 253-417.

Hayes, F. C. *Lope de Vega*. New York, Twayne Publishers, 1967.

Lafuente Ferrari, E. *Los retratos de Lope de Vega*. Madrid, 1935.

Lázaro Carreter, F. *Lope de Vega. Introducción a su vida y obra*. Salamanca-Madrid-Barcelona, Anaya, 1966.

McCrary, W. C. *The goldfinch and the hawk. A study of Lope de Vega's tragedy*, El Caballero de Olmedo. Chapel Hill, The University of North Carolina Press, 1966.

Menéndez Pelayo, M. *Estudios sobre el teatro de Lope de Vega*, V. Vol. XXXIII de la Edición Nacional de las Obras Completas de Menéndez Pelayo, Santander, Aldus, 1949, p. 55-87.

Menéndez Pidal, R. "Lope de Vega. El Arte Nuevo y la Nueva biografía". En *De Cervantes y Lope de Vega*, Colección Austral, Madrid, Espasa-Calpe, 1943.

———. "El lenguaje de Lope de Vega". En *El Padre Las Casas y Vitoria*, Colección Austral, Madrid, Espasa-Calpe, 1966.

Montesinos, J. F. *Estudios sobre Lope de Vega*. Nueva edición, Salamanca, Anaya, 1967.

Montoto, S. *Contribución al vocabulario de Lope de Vega*. Madrid, 1949.

Morby, E. S. "Some observations on 'Tragedia' and 'Tragicomedia' en Lope". En *Hispanic Review*, XI, 1943, p. 185-209.

Morley, S. G., y C. Bruerton. *Cronología de las Comedias de Lope de Vega* (con un examen de las atribuciones dudosas, basado todo ello en un estudio de su versificación estrófica). Madrid, Gredos, 1968.

Morley, S. G., y R. W. Tyler. *Los nombres de personajes en las comedias de Lope de Vega*. 2 vol., Berkeley-Los Angeles, University of California Press, 1961.

Oliver Asín, J. "Más reminiscencias de *La Celestina* en el teatro de Lope". En *Revista de Filología Española*, XV, 1928, p. 67-74.

Pérez, J. "La mort du chevalier d'Olmedo. La légende et l'histoire". En *Mélanges à la mémoire de Jean Sarrailh*, Paris, 1966, t. II, p. 243-251.

Rennert, G. A. *The Spanish Stage in the time of Lope de Vega*. New York, 1909.

Rennert, H. A. *The life of Lope de Vega (1562-1635)*. Glasgow, University Press, 1904.

——— y A. Castro. *Vida de Lope de Vega*. Madrid, Sucesores Hernando, 1919.

Romera-Navarro, M. *La preceptiva dramática de Lope de Vega y otros ensayos sobre el Fénix*. Madrid, Yunque, 1935.

Romero Gilsanz. "El Caballero de Olmedo". En *Revista contemporánea*, CVII, 1897, p. 82.

Rozzell, R. "Facistol". En *Modern Language Notes*, Baltimore, LXVI, 1951, p. 155-160.

Sáinz de Robles, F. C. "Bibliografía de Lope de Vega". En *Obras escogidas* de Lope, I, Madrid, Aguilar, 1946, p. 291-308.

Sarrailh, J. "L'histoire dans le *Caballero de Olmedo* de Lope de Vega". En *Bulletin Hispanique*, Burdeos, XXXVII, 1935, p. 337-352.

Schack, A. F. "Vida de Lope de Vega. Número de obras dramáticas de Lope. Su Arte nuevo de hacer comedias. Caracteres generales de la poesía dramática de Lope de Vega". En *Historia de la literatura y del arte dramático en España*, t. II, Madrid, 1886.

Simón Díaz, J. y J. de J. Prades. *Ensayo de una bibliografía de las obras y artículos sobre la vida y escritos de Lope de Vega Carpio.* Madrid, Centro de estudios sobre Lope de Vega, 1955.

Soons, A. "Towards an interpretation of *El Caballero de Olmedo*". En *Romanische Forschungen,* Erlangen, LXXIII, 1961, p. 160-168.

Vossler, K. *Lope de Vega y su tiempo.* Madrid, Revista de Occidente, 1933.

Zamora Vicente, A. *Lope de Vega. Su vida y su obra.* Madrid, Gredos, 1961.

NOTA PREVIA

E L texto que ofrecemos a continuación es, en sustancia, el de la primera edición conocida (en *Veintiquatro parte perfeta...*, Zaragoza, 1641), posterior a la muerte de Lope. Hemos tenido en cuenta, para suplir los defectos evidentes de esta edición, algunas de las enmiendas propuestas por editores posteriores y sobre todo Hartzenbusch, Menéndez Pelayo, J. M. Blecua y últimamente F. Rico.

J. P.

VENTICVATRO

PARTE PERFETA

DE LAS COMEDIAS DEL FENIX

de España Frey Lope Felix de Vega Carpio,del Abito de San
Iuan,Familiar del Santo Oficio de la Inquisicion,Pro
curador Fiscal de la Camara
Apostolica.

SACADA DE SVS VERDADEROS ORIGINALES,
no adulteradas como las que hasta aqui han salido.

A DON BERNARDO DE VELASCO Y ROIAS,
Secretario del Secreto del Santo Oficio de la Inquisicion
del Reyno de Aragon.

66

Año   1641.

CON PRIVILEGIO.

EN ZARAGOZA: Por Pedro Verges.

EL CABALLERO DE OLMEDO

ACTO PRIMERO

Personas del acto primero:

Don Alonso	Don Pedro	Tello
Don Rodrigo	Doña Inés	Ana
Don Fernando	Doña Leonor	Fabia

~~~~~~

Sale Don Alonso

ALONSO

Amor, no te llame amor
el que no te corresponde,
pues que no hay materia adonde
no imprima forma el favor. [1]
5   Naturaleza, en rigor, [2]
conservó tantas edades
correspondiendo amistades, [3]
que no hay animal perfeto
si no asiste a su conceto [4]
10 la unión de dos voluntades.
De los espíritus vivos
de unos ojos procedió
este amor que me encendió

---

[1] *Materia, forma*: en la filosofía de Aristóteles, la forma es la que determina la materia; del mismo modo, el amor existe sólo si es correspondido.

[2] *En rigor*: en el sentido estricto de la palabra.

[3] *Naturaleza... amistades*: el mundo se ha conservado tanto tiempo por medio de la generación, es decir del amor.

[4] *Perfeto, conceto*: perfecto, concepto. *Conceto*: concepción, generación.

    con fuegos tan excesivos.
15 No me miraron altivos,
    antes, con dulce mudanza,
    me dieron tal confianza,
    que, con poca diferencia,
    pensando correspondencia,
20 engendra amor esperanza.
    Ojos, si ha quedado en vos
    de la vista el mismo efeto,
    amor vivirá perfeto,
    pues fue engendrado de dos;
25 pero si tú, ciego dios,
    diversas flechas tomaste, [5]
    no te alabes que alcanzaste
    la victoria; que perdiste
    si de mí solo naciste,
30 pues imperfecto quedaste.

Salen Tello, criado, y Fabia

FABIA

¿A mí, forastero?

TELLO

A ti.

FABIA

Debe de pensar que yo
soy perro de muestra.

TELLO

No.

FABIA

¿Tiene algún achaque?

---

[5] *Ciego dios*: Cupido, dios del amor, que hiere con flechas de
oro o de plomo, según inspire amor u odio.

TELLO

Sí.

FABIA

¿Qué enfermedad tiene?

TELLO

35   Amor.

FABIA

Amor ¿de quién?

TELLO

Allí está,
y él, Fabia, te informará
de lo que quiere mejor.

FABIA

Dios guarde tal gentileza.

ALONSO

Tello, ¿es la madre? [6]

TELLO

40   La propia.

ALONSO

¡O Fabia, o retrato, o copia
de cuanto naturaleza
puso en ingenio mortal!
¡O peregrino doctor
45   y, para enfermos de amor,
Hipócrates [7] celestial!
Dame a besar esa mano,

---

[6] *Madre*: así se llamaba, por cortesía, a las ancianas.
[7] *Hipócrates*: el más famoso de los médicos de la Antigüedad.

honor de las tocas, [8] gloria
del monjil. [9]

FABIA

La nueva historia
50   de tu amor cubriera en vano
vergüenza o respeto mío,
que ya en tus caricias [10] veo
tu enfermedad.

ALONSO

Un deseo
es dueño de mi albedrío.

FABIA

55   El pulso de los amantes
es el rostro. Aojado [11] estás.
¿Qué has visto?

ALONSO

Un ángel.

FABIA

¿Qué más?

ALONSO

Dos imposibles, bastantes,
Fabia, a quitarme el sentido:
60   que es dejarla de querer
y que ella me quiera.

FABIA

Ayer
te vi en la feria perdido

---

[8] *Toca:* "el velo de la cabeza de la mujer" (Covarrubias).
[9] *Mongil:* el hábito de la monja y, por extensión, el traje de
luto de las viudas o ancianas.
[10] *Caricias:* "vale regalos, lisonjas, halagos" (Covarrubias).
[11] *Aojado:* hechizado, que tiene mal de ojo.

tras una cierta doncella
que en forma de labradora
65   encubría el ser señora,
no el ser tan hermosa y bella;
que pienso que doña Inés
es de Medina la flor.

ALONSO

Acertaste con mi amor.
70   Esa labradora es
fuego que me abrasa y arde.

FABIA

Alto has picado.

ALONSO

                    Es deseo
de su honor.

FABIA

                    Así lo creo.

ALONSO

Escucha, así Dios te guarde.
75   Por la tarde salió Inés
a la feria de Medina,
tan hermosa que la gente
pensaba que amanecía:
rizado el cabello en lazos,
80   que quiso encubrir la liga,
porque mal caerán las almas
si ven las redes tendidas;
los ojos, a lo valiente,
iban perdonando vidas,
85   aunque dicen los que deja
que es dichoso a quien la quita;

las manos haciendo tretas, [12]
que, como juego de esgrima,
tiene tanta gracia en ellas
90   que señala las heridas;
las valonas esquinadas
en manos de nieve viva,
que muñecas de papel
se han de poner en esquinas; [13]
95   con la caja de la boca
allegaba infantería,
porque, sin ser capitán,
hizo gente por la villa; [14]
los corales y las perlas
100 dejó Inés, porque sabía
que las llevaban mejores
los dientes y las mejillas;
sobre un manteo [15] francés,
una verdemar basquiña, [16]
105 porque tenga en otra lengua
de su secreto la cifra;
no pensaron las chinelas [17]
llevar de cuantos la miran
los ojos en los listones, [18]
110 las almas en las virillas. [19]
No se vio florido almendro
como toda parecía,
que del olor natural

---

[12] *Treta*: término de la esgrima; los movimientos que se hacen
para ofender o defenderse.

[13] *Valona*: adorno que se ponía al cuello y caía hasta la mitad
del pecho, probablemente de forma cuadrada (*esquinadas*) en el
vestido de Inés que esconde a ratos sus manos blancas (*muñecas
de papel*) en las puntas (*esquinas*) de las valonas.

[14] El capitán, con su tambor (*caja*), llamaba a la gente para
reclutar soldados; del mismo modo, la boca de Inés atrae todas
las miradas.

[15] *Manteo*: "el faldellín de la mujer que trae ceñido al cuerpo
debajo de las basquiñas y sayas" (Covarrubias).

[16] *Basquiña*: falda.

[17] *Chinelas*: zapatos sin tacón.

[18] *Listones*: cintas de color.

[19] *Virillas*: adornos en el calzado.

son las mejores pastillas. [20]
115 Invisible, fue con ella
el amor, muerto de risa
de ver, como pescador,
los simples peces que pican.
Unos le prometen sartas [21]
120 y otros arracadas [22] ricas,
pero en oídos de áspid
no hay arracadas que sirvan;
cual a su garganta hermosa
el collar de perlas finas,
125 pero como toda es perla,
poco las perlas estima.
Yo, haciendo lengua los ojos,
solamente le ofrecía
a cada cabello un alma,
130 a cada paso una vida.
Mirándome sin hablarme,
parece que me decía:
"No os vais [22 bis] don Alonso, a Olmedo;
quedaos agora en Medina".
135 Creí mi esperanza, Fabia;
salió esta mañana a misa,
ya con galas de señora,
no labradora fingida.
Si has oído que el marfil
140 del unicornio santigua
las aguas, [23] así el cristal
de un dedo puso en la pila.

20 *Pastillas*: substancias aromáticas que se quemaban para per-
fumar las habitaciones.
21 Viciado el texto original: "le prometieron".
22 *Arracadas*: pendientes.
22 bis *vais*: contracción de "vayáis".
23 *Unicornio*: "Es un animal feroz, de la forma y grandor de
un caballo, el cual tiene en medio de la frente un gran cuerno,
de longitud de dos codos. Está recibido en el vulgo que los demás
animales, en las partes desiertas de África, no osan beber en las
fuentes por temor de la ponzoña que causan en las aguas las ser-
pientes y animales ponzoñosos, esperando hasta que venga el unicornio y meta dentro dellas el cuerno, con que las purifica" (Covarrubias).

Llegó mi amor basilisco [24]
y salió del agua misma
145 templado el veneno ardiente
que procedió de su vista.
Miró a su hermana y entrambas
se encontraron en la risa,
acompañando mi amor
150 su hermosura y mi porfía.
En una capilla entraron.
Yo, que siguiéndolas iba,
entré imaginando bodas:
¡tanto quien ama imagina!
155 Vime sentenciado a muerte,
porque el amor me decía:
"Mañana mueres, pues hoy
te meten en la capilla".
En ella estuve turbado;
160 ya el guante se me caía,
ya el rosario, que los ojos
a Inés iban y venían.
No me pagó mal; sospecho
que bien conoció que había
165 amor y nobleza en mí;
que quien no piensa no mira;
y mirar sin pensar, Fabia,
es de ignorantes e implica
contradicción que en un ángel
170 faltase ciencia divina.
Con este engaño, en efeto,
le dije a mi amor que escriba
este papel; que si quieres
ser dichosa y atrevida
175 hasta ponerle en sus manos
para que mi fe consiga
esperanzas de casarme,
—tan en esto amor me inclina—,
el premio será un esclavo

_____

[24] *Basilisco*: animal que mata con la mirada.

180 con una cadena rica,
    encomienda [25] de esas tocas,
    de mal casadas envidia.

FABIA

Yo te he escuchado.

ALONSO

Y ¿qué sientes?

FABIA

Que a gran peligro te pones.

TELLO

185 Excusa, Fabia, razones,
    si no es que por dicha intentes,
    como diestro cirujano,
    hacer la herida mortal.

FABIA

    Tello, con industria igual
190 pondré el papel en su mano,
    aunque me cueste la vida,
    sin interés, porque entiendas
    que donde hay tan altas prendas
    sola yo fuera atrevida.
195 Muestra el papel, que primero
    le tengo de aderezar.

ALONSO

    ¿Con qué te podré pagar
    la vida, el alma que espero,
    Fabia, de esas santas manos?

TELLO

    ¿Santas?

_____

25 La cadena, junto a las tocas, las ennoblecería, como una encomienda el pecho de un caballero.

ALONSO

200   ¿Pues no, si han de hacer
milagros?

TELLO

De Lucifer.

FABIA

Todos los medios humanos
tengo de intentar por ti;
porque el darme esa cadena
205   no es cosa que me da pena;
mas confiada nací.

TELLO

¿Qué te dice el memorial?

ALONSO

Ven, Fabia, ven, madre honrada,
porque sepas mi posada.

FABIA

Tello.

TELLO

Fabia.

FABIA

210   No hables mal,
que tengo cierta morena
de extremado talle y cara.

TELLO

Contigo me contentara
si me dieras la cadena.

Vanse y salen Doña Inés y Doña Leonor

INÉS

215 Y todos dicen, Leonor,
    que nace de las estrellas.

LEONOR

De manera que, sin ellas,
¿no hubiera en el mundo amor?

INÉS

Dime tú: si don Rodrigo
220 ha que me sirve dos años,
    y su talle y sus engaños
    son nieve helada conmigo,
    y en el instante que vi
    este galán forastero
225 me dijo el alma: "éste quiero",
    y yo le dije: "Sea ansí",
    ¿quién concierta y desconcierta
    este amor y desamor?

LEONOR

Tira como ciego amor;
230 yerra mucho y poco acierta.
    Demás que negar no puedo,
    aunque es de Fernando amigo
    tu aborrecido Rodrigo,
    por quien obligada quedo
235 a intercederte por él,
    que el forastero es galán.

INÉS

Sus ojos causa me dan
para ponerlos en él,
pues pienso que en ellos vi
240 el cuidado que me dio
    para que mirase yo
    con el que también le di.
    Pero ya se habrá partido.

LEONOR

No le miro yo de suerte
245 que pueda vivir sin verte.

Sale Ana, criada

ANA

Aquí, señora, ha venido
la Fabia, o la Fabïana.

INÉS

Pues ¿quién es esa mujer?

ANA

Una que suele vender
250 para las mejillas grana [26]
y para la cara nieve. [27]

INÉS

¿Quieres tú que entre, Leonor?

LEONOR

En casas de tanto honor
no sé yo cómo se atreve,
255 que no tiene buena fama.
Mas ¿quién no desea ver?

INÉS

Ana, llama esa mujer.

ANA

Fabia, mi señora os llama.

---

[26], [27] *grana, nieve*: cosméticos para dar color o blanquear la
cara.

Fabia, con una canastilla

FABIA

Y ¡cómo si yo sabía
260 que me habías de llamar!
¡Ay! ¡Dios os deje gozar
tanta gracia y bizarría, [28]
tanta hermosura y donaire!
Que cada día que os veo
265 con tanta gala y aseo
y pisar de tan buen aire, [29]
os echo mil bendiciones
y me acuerdo como agora
de aquella ilustre señora
270 que, con tantas perfecciones,
fue la fénix de Medina,
fue el ejemplo de lealtad. [30]
¡Qué generosa piedad,
de eterna memoria dina! [31]
275 ¡Qué de pobres la lloramos!
¿A quién no hizo mil bienes?

INÉS

Dinos, madre, a lo que vienes.

FABIA

¡Qué de huérfanas quedamos
por su muerte malograda!
280 La flor de las Catalinas, [32]

[28] *Bizarría*: "También significa lucimiento, esplendor en el porte, adorno y gala..." (*Diccionario de Autoridades*).
[29] *Aire*: "Tener buen aire. Se dice de aquel que se maneja con brío, garbo y gentileza y que en los movimientos del cuerpo tiene proporción y gravedad, como es en el andar, danzar y otros ejercicios" (*Dicc. de Aut.*).
[30] *Lealtad*: consta de dos sílabas, por sinéresis.
[31] *Dina*: digna.
[32] *Catalina*: "Vale tanto como pura (...). Tal fue la virgen y mártir Santa Catalina de Alejandría, a la cual martirizó el tirano Magencio" (Covarrubias).

hoy la lloran mis vecinas;
no la tienen olvidada.
Y a mí, ¿qué bien no me hacía?
¡Qué en agraz se la llevó
285 la muerte! No se logró;
aun cincuenta no tenía.

INÉS

No llores, madre, no llores.

FABIA

No me puedo consolar
cuando le veo llevar
290 a la muerte las mejores
y que yo me quedo acá.
Vuestro padre, Dios le guarde,
¿está en casa?

LEONOR

                    Fue esta tarde
al campo.

FABIA

                    Tarde vendrá.
295 Si va a deciros verdades,
mozas sois, vieja soy yo:
más de una vez me fió
don Pedro sus mocedades;
pero teniendo respeto
300 a la que pudre, yo hacía,
como quien se lo debía,
mi obligación. En efeto,
de diez mozas no le daba
cinco.

INÉS

¡Qué virtud!

FABIA

           No es poco,
305 que era vuestro padre un loco;
cuanto vía, [33] tanto amaba.
Si sois de su condición,
me admiro de que no esteis
enamoradas. ¿No haceis,
310 niñas, alguna oración
para casaros?

INÉS

         No, Fabia;
eso siempre será presto.

FABIA

Padre que se duerme en esto
mucho a sí mismo se agravia.
315 La fruta fresca, hijas mías,
es gran cosa y no aguardar
a que la venga a arrugar
la brevedad de los días.
Cuantas cosas imagino,
320 dos solas, en mi opinión,
son buenas, viejas.

LEONOR

        Y ¿son?

FABIA

Hija, el amigo y el vino.
¿Veisme aquí? Pues yo os prometo [34]
que fue tiempo en que tenía
325 mi hermosura y bizarría
más de algún galán sujeto.
¿Quién no alababa mi brío?

---

33 *Vía*: veía.
34 *Os prometo*: os aseguro.

¡Dichoso a quien yo miraba!
Pues, ¿qué seda no arrastraba?
330   ¡Qué gasto, qué plato el mío!
Andaba en palmas, en andas.
Pues, ¡ay Dios! si yo quería,
¡qué regalos no tenía
desta gente de hopalandas! [35]
335   Pasó aquella primavera;
no entra un hombre por mi casa;
que como el tiempo se pasa,
pasa la hermosura.

INÉS

Espera,
¿qué es lo que traes aquí?

FABIA

340   Niñerías que vender
para comer, por no hacer
cosas malas.

LEONOR

Hazlo ansí,
madre, y Dios te ayudará.

FABIA

Hija, mi rosario y misa;
345   esto, cuando estoy de prisa,
que si no...

INÉS

Vuélvete acá,
¿qué es esto?

---

[35] *Gente de hopalandas:* los clérigos.

FABIA

Papeles son
de alcanfor y solimán. [36]
Aquí secretos están
350 de gran consideración
para nuestra enfermedad
ordinaria.

LEONOR

Y esto, ¿qué es?

FABIA

No lo mires, aunque estés
con tanta curiosidad.

LEONOR

¿Qué es, por tu vida?

FABIA

355   Una moza
se quiere, niñas, casar;
mas acertóla a engañar
un hombre de Zaragoza.
Hase encomendado a mí;
360 soy piadosa y en fin es
limosna porque depués
vivan en paz.

INÉS

¿Qué hay aquí?

FABIA

Polvos de dientes, jabones
de manos, pastillas, [37] cosas
365 curiosas y provechosas.

---

[36] El alcanfor y el solimán (bicloruro de mercurio rojo) se uti-
lizaban para preparar afeites.
[37] V. nota 20.

INÉS

¿Y esto?

FABIA

　　　　Algunas oraciones.
¿Qué no me deben a mí
las ánimas?

INÉS

　　　　Un papel
hay aquí.

FABIA

　　　　Diste con él
370 cual si fuera para ti.
Suéltale; no le has de ver,
bellaquilla, curiosilla.

INÉS

Deja, madre.

FABIA

　　　　Hay en la villa
cierto galán bachiller
375 que quiere bien una dama.
Prométeme una cadena
porque le dé yo, con pena
de su honor, recato y fama;
aunque es para casamiento,
380 no me atrevo. Haz una cosa
por mí, doña Inés hermosa,
que es discreto pensamiento:
respóndeme a este papel
y diré que me le ha dado
su dama.

INÉS

385   Bien lo has pensado,
si pescas, Fabia, con él
la cadena prometida;
yo quiero hacerte este bien.

FABIA

Tantos los cielos te den
390 que un siglo alarguen tu vida.
Lee el papel.

INÉS

    Allá dentro,
y te traeré la respuesta.

Vase

LEONOR

¡Qué buena invención!

FABIA

      Apresta,
fiero habitador del centro,
395 fuego accidental que abrase
el pecho de esta doncella. [38]

Salen Don Rodrigo y Don Fernando

RODRIGO

¿Hasta casarme con ella
será forzoso que pase
por estos inconvenientes?

FERNANDO

400 Mucho ha de sufrir quien ama.

---

[38] Invocación al demonio.

RODRIGO

Aquí teneis vuestra dama.

FABIA

¡Oh necios impertinentes!
¿Quién os ha traido aquí?

RODRIGO

Pero, en lugar de la mía,
¡aquella sombra!

FABIA

405   Sería
gran limosna para mí,
que tengo necesidad.

LEONOR

Yo haré que os pague mi hermana.

FERNANDO

Si habeis tomado, señora,
410 o por ventura os agrada
algo de lo que hay aquí,
si bien serán cosas bajas
las que aquí puede traer
esta venerable anciana,
415 pues no serán ricas joyas
para ofreceros la paga,
mandadme que os sirva yo.

LEONOR

No habemos comprado nada;
que es esta buena mujer
420 quien suele lavar en casa
la ropa.

RODRIGO

¿Qué hace don Pedro?

LEONOR

Fue al campo; pero ya tarda.

RODRIGO

¿Mi señora doña Inés?

LEONOR

Aquí estaba; pienso que anda
425 despachando esta mujer.

RODRIGO

Si me vio por la ventana,
¿quién duda que huyó por mí?
¿Tanto de ver se recata
quien más servirla desea?

Salga Doña Inés

LEONOR

430 Ya sale. Mira que aguarda
por la cuenta de la ropa
Fabia.

INÉS

     Aquí la traigo, hermana.
Tomad y haced que ese mozo
la lleve.

FABIA

     Dichosa el agua
435 que ha de lavar, doña Inés,
las reliquias de la holanda [39]
que tales cristales cubre!
Seis camisas, diez toallas,
cuatro tablas de manteles, [40]

---

[39] *Holanda*: tela muy fina.
[40] *Tablas de manteles*: manteles.

440   dos cosidos [41] de almohadas,
       seis camisas de señor,
       ocho sábanas... Mas basta,
       que todo vendrá más limpio
       que los ojos de la cara.

RODRIGO

445   Amiga, ¿quereis feriarme [42]
       ese papel y la paga
       fiad de mí, por tener
       de aquellas manos ingratas
       letra siquiera en las mías?

FABIA

450   ¡En verdad que negociara
       muy bien si os diera el papel!
       Adiós, hijas de mi alma.

Vase

RODRIGO

       Esta memoria [43] aquí había
       de quedar, que no llevarla.

LEONOR

455   Llévala y vuélvela a efeto
       de saber si algo le falta.

INÉS

       Mi padre ha venido ya;
       vuesas mercedes se vayan
       o le visiten, que siente
460   que nos hablen, aunque calla.

---

[41] *Cosidos de almohadas*: "Cosido, se llama comúnmente la por-
ción de ropa apuntada con un hilo que se da a las lavanderas para
llevarlas a lavar, como un cosido de rodillas, de calcetas, escarpines,
&" (*Dicc. de Aut.*).
[42] *Feriar*: "es comprar y vender y trocar una cosa por otra"
(Covarrubias).
[43] *Memoria*: lista.

RODRIGO

Para sufrir el desdén
que me trata desta suerte,
pido al amor y a la muerte
que algún remedio me den:
465 al amor, porque también
puede templar tu rigor
con hacerme algún favor;
y a la muerte, porque acabe
mi vida; pero no sabe
470 la muerte ni quiere amor.
Entre la vida y la muerte
no sé qué medio tener;
pues amor no ha de querer
que con tu favor acierte;
475 y siendo fuerza quererte,
quiere el amor que te pida
que seas tú mi homicida.
Mata, ingrata, a quien te adora;
serás mi muerte, señora,
480 pues no quieres ser mi vida.
Cuanto vive de amor nace
y se sustenta de amor;
cuanto muere es un rigor
que nuestras vidas deshace.
485 Si al amor no satisface
mi pena ni la hay tan fuerte
con que la muerte me acierte,
debo de ser inmortal,
pues no me hacen bien ni mal
490 ni la vida ni la muerte.

Vanse los dos

INÉS

¡Qué de necedades juntas!

LEONOR

No fue la tuya menor.

INÉS

¿Cuándo fue discreto amor,
si del papel me preguntas?

LEONOR

495 ¿Amor te obliga a escribir
sin saber a quién?

INÉS

Sospecho
que es invención que se ha hecho
para probarme a rendir
de parte del forastero.

LEONOR

500 Yo también lo imaginé.

INÉS

Si fue ansí, discreto fue.
Leerte unos versos quiero.

(Lea)

Yo vi la más hermosa labradora
en la famosa feria de Medina
505 que ha visto el sol adonde más se inclina
desde la risa de la blanca aurora.
Una chinela de color, que dora
de una columna hermosa y cristalina
la breve basa, fue la ardiente mina
510 que vuela el alma a la región que adora.
Que una chinela fuese victoriosa,
siendo los ojos del amor enojos,
confesé por hazaña milagrosa.

Pero díjele, dando los despojos:
515 "Si matas con los pies, Inés hermosa,
¿qué dejas para el fuego de tus ojos?"

LEONOR

Este galán, doña Inés,
te quiere para danzar.

INÉS

Quiere en los pies comenzar
520 y pedir manos después.

LEONOR

¿Qué respondiste?

INÉS

Que fuese
esta noche por la reja
del güerto.

LEONOR

¿Quién te aconseja,
o qué desatino es ése?

INÉS

No para hablarle.

LEONOR

525 Pues, ¿qué?

INÉS

Ven conmigo y lo sabrás.

LEONOR

Necia y atrevida estás.

INÉS

¿Cuándo el amor no lo fue?

LEONOR

Huir de amor cuando empieza.

INÉS

530 Nadie del primero huye,
porque dicen que le influye
la misma naturaleza.

Vanse

Salen Don Alonso, Tello y Fabia

FABIA

Cuatro mil palos me han dado.

TELLO

¡Lindamente negociaste!

FABIA

535 Si tú llevaras los medios...

ALONSO

Ello ha sido disparate
que yo me atreviese al cielo.

TELLO

Y que Fabia fuese el ángel
que al infierno de los palos
540 cayese por levantarte.

FABIA

¡Ay, pobre Fabia!

TELLO

            ¿Quién fueron
los crueles sacristanes
del facistol de tu espalda? [44]

FABIA

Dos lacayos y tres pajes.
545 Allá he dejado las tocas
y el monjil hecho seis partes.

ALONSO

Eso, madre, no importara
si a tu rostro venerable
no se hubieran atrevido.
550 ¡Oh, qué necio fui en fiarme
de aquellos ojos traidores,
de aquellos falsos diamantes,
niñas que me hicieron señas
para engañarme y matarme!
555 Yo tengo justo castigo.
Toma este bolsillo, madre;
y ensilla, Tello, que a Olmedo
nos hemos de ir esta tarde.

TELLO

¿Cómo, si anochece ya?

ALONSO

560 Pues, ¿qué? ¿Quieres que me mate?

FABIA

No te aflijas, moscatel, [45]
ten ánimo, que aquí trae
Fabia tu remedio. Toma.

---

44 *Facistol*: el atril del coro, que golpean los sacristanes para
marcar el compás.
45 *Moscatel*: tonto.

ALONSO

¿Papel?

FABIA

Papel.

ALONSO

No me engañes.

FABIA

565   Digo que es suyo, en respuesta
de tu amoroso romance.

ALONSO

Hinca, Tello, la rodilla.

TELLO

Sin leer, no me lo mandes;
que aun temo que hay palos dentro,
570   pues en mondadientes caben.

ALONSO

(Lea)

Cuidadosa de saber si sois quien presumo y de-
seando que lo seais, os suplico que vais esta
noche a la reja del jardín desta casa, donde
hallaréis atado el listón verde de las chinelas, y
ponéosle mañana en el sombrero para que os
conozca.

FABIA

¿Qué te dice?

ALONSO

Que no puedo
pagarte ni encarecerte
tanto bien.

TELLO

Ya desta suerte
no hay que ensillar para Olmedo;
575 ¿oyen, señores rocines?
Sosiéguense, que en Medina
nos quedamos.

ALONSO

La vecina
noche, en los últimos fines
con que va espirando el día
580 pone los helados pies.
Para la reja de Inés
aún importa bizarría,
que podría ser que amor
la llevase a ver tomar
585 la cinta. Voyme a mudar.

(Vase)

TELLO

Y yo a dar a mi señor,
Fabia, con licencia tuya,
aderezo de sereno. [46]

FABIA

Deténte.

TELLO

Eso fuera bueno
590 a ser la condición suya
para vestirse sin mí.

FABIA

Pues bien le puedes dejar
porque me has de acompañar.

[46] *Aderezo de sereno*: Tello va a ayudar a don Alonso a vestirse
con un hábito de noche.

TELLO

¿A ti, Fabia?

FABIA

A mí.

TELLO

¿Yo?

FABIA

Sí;
595   que importa a la brevedad
      deste amor.

TELLO

¿Qué es lo que quieres?

FABIA

Con los hombres, las mujeres
llevamos seguridad.
Una muela he menester
600   del salteador que ahorcaron
ayer.

TELLO

Pues ¿no le enterraron?

FABIA

No.

TELLO

Pues ¿qué quieres hacer?

FABIA

Ir por ella y que conmigo
vayas solo a acompañarme.

TELLO

605 Yo sabré muy bien guardarme
de ir a esos pasos contigo.
¿Tienes seso?

FABIA

Pues, gallina,
adonde yo voy ¿no irás?

TELLO

Tú, Fabia, enseñada estás
a hablar al diablo.

FABIA

610 Camina.

TELLO

Mándame a diez hombres juntos
temerario acuchillar
y no me mandes tratar
en materia de difuntos.

FABIA

615 Si no vas, tengo de hacer
que él propio venga a buscarte.

TELLO

¡Que tengo de acompañarte!
¿Eres demonio o mujer?

FABIA

Ven. Llevarás la escalera,
620 que no entiendes destos casos.

TELLO

Quien sube por tales pasos,
Fabia, el mismo fin espera.

Salen Don Fernando y Don Rodrigo en hábito
de noche

FERNANDO

¿De qué sirve inútilmente
venir a ver esta casa?

RODRIGO

625   Consuélase entre estas rejas,
don Fernando, mi esperanza.
Tal vez sus hierros guarnece
cristal de sus manos blancas;
donde las pone de día
630   pongo yo de noche el alma;
que cuanto más doña Inés
con sus desdenes me mata,
tanto más me enciende el pecho;
así su nieve me abrasa.
635   ¡Oh rejas enternecidas
de mi llanto! ¿Quién pensara
que un ángel endureciera
quien vuestros hierros ablanda?
Oíd, ¿qué es lo que está aquí?

FERNANDO

640   En ellos mismos atada
está una cinta o listón.

RODRIGO

Sin duda las almas atan
a estos hierros, por castigo
de los que su amor declaran.

FERNANDO

645   Favor fue de mi Leonor;
tal vez por aquí me habla.

RODRIGO

Que no lo será de Inés
dice mi desconfianza;

650 pero en duda de que es suyo,
porque sus manos ingratas
pudieron ponerle acaso,
basta que la fe me valga.
Dadme el listón.

FERNANDO

No es razón,
si acaso Leonor pensaba
655 saber mi cuidado ansí,
y no me le ve mañana.

RODRIGO

Un remedio se me ofrece.

FERNANDO

¿Cómo?

RODRIGO

Partirle.

FERNANDO

¿A qué causa?

RODRIGO

A que las dos nos le vean,
660 y sabrán con esta traza
que habemos venido juntos.

FERNANDO

Gente por la calle pasa.

Salen Don Alonso y Tello, de noche

TELLO

Llega de presto a la reja;
mira que Fabia me aguarda
665 para un negocio que tiene
de grandísima importancia.

ALONSO

¿Negocio Fabia esta noche
contigo?

TELLO

Es cosa muy alta.

ALONSO

¿Cómo?

TELLO

Yo llevo escalera
y ella...

ALONSO

¿Qué lleva?

TELLO

670   Tenazas.

ALONSO

Pues, ¿qué habeis de hacer?

TELLO

Sacar
una dama de su casa.

ALONSO

Mira lo que haces, Tello;
no entres adonde no salgas.

TELLO

675 No es nada, por vida tuya.

ALONSO

Una doncella, ¿no es nada?

TELLO

Es la muela del ladrón
que ahorcaron ayer.

ALONSO

                    Repara
en que acompañan la reja
dos hombres.

TELLO

680   ¿Si están de guarda?

ALONSO

¡Qué buen listón!

TELLO

                    Ella quiso
castigarte.

ALONSO

                    ¿No buscara,
si fui atrevido, otro estilo?
Pues advierta que se engaña.
685 Mal conoce a don Alonso
que por excelencia llaman
el Caballero de Olmedo.
¡Vive Dios que he de mostrarla
a castigar de otra suerte
a quien la sirve!

TELLO

                    No hagas
690 algún disparate.

ALONSO

                    Hidalgos,
en las rejas de esa casa
nadie se arrima.

RODRIGO

¿Qué es esto?

FERNANDO

Ni en el talle ni en el habla
conozco este hombre.

RODRIGO

695   ¿Quién es
el que con tanta arrogancia
se atreve a hablar?

ALONSO

                 El que tiene
por lengua, hidalgos, la espada.

RODRIGO

Pues hallará quien castigue
700   su locura temeraria.

TELLO

Cierra, señor, que no son
muelas que a difuntos sacan.

ALONSO

No los sigas; bueno está.
          Retírenlos.

TELLO

Aquí se quedó una capa.
705   Cógela y ven por aquí,
que hay luces en las ventanas.

Salen Doña Leonor y Doña Inés.

INÉS

Apenas la blanca aurora,
Leonor, el pie de marfil

puso en las flores de abril
710 que pinta, esmalta y colora,
cuando a mirar el listón
salí, de amor desvelada,
y con la mano turbada
di sosiego al corazón.
715 En fin, él no estaba allí.

LEONOR

Cuidado tuvo el galán.

INÉS

No tendrá los que me dan
sus pensamientos a mí.

LEONOR

Tú, que fuiste el mismo hielo.
720 ¡en tan breve tiempo estás
de esa suerte!

INÉS

No sé más
de que me castiga el cielo.
O es venganza o es victoria
de amor en mi condición;
725 parece que el corazón
se me abrasa en su memoria.
Un punto [47] solo no puedo
apartarla dél. ¿Qué haré?

Sale Don Rodrigo con el listón en el sombrero.

RODRIGO

Nunca, amor, imaginé
730 que te sujetara el miedo.
Animo para vivir,

---

48 *Punto:* momento.

que aquí está Inés. Al señor
don Pedro busco.

INÉS

Es error
tan de mañana acudir,
735 que no estará levantado.

RODRIGO

Es un negocio importante.

INÉS

No he visto tan necio amante.

LEONOR

Siempre es discreto lo amado
y necio lo aborrecido.

RODRIGO

740 ¿Que de ninguna manera
puedo agradar una fiera
ni dar memoria a su olvido?

INÉS

¡Ay, Leonor! no sin razón
viene don Rodrigo aquí,
745 si yo misma le escribí
que fuese por el listón.

LEONOR

Fabia este engaño te ha hecho.

INÉS

Presto romperé el papel,
que quiero vengarme en él
750 de haber dormido en mi pecho.

Salen Don Pedro, su padre, y Don Fernando.

FERNANDO

Hame puesto por tercero
para tratarlo con vos.

PEDRO

Pues hablaremos los dos
en el concierto primero.

FERNANDO

755   Aquí está, que siempre amor
es reloj anticipado.

PEDRO

Habrále Inés concertado
con la llave del favor.

FERNANDO

De lo contrario se agravia.

PEDRO

Señor don Rodrigo.

RODRIGO

760   Aquí
vengo a que os sirvais de mí.

INÉS

Todo fue enredo de Fabia.

LEONOR

¿Cómo?

INÉS

                 ¿No ves que también
trae el listón don Fernando?

LEONOR

756 Si en los dos le estoy mirando,
     entrambos te quieren bien.

INÉS

Sólo falta que me pidas
celos, cuando estoy sin mí.

LEONOR

¿Qué quieren tratar aquí?

INÉS

770 ¿Ya las palabras olvidas
     que dijo mi padre ayer
     en materia de casarme?

LEONOR

Luego, bien puede olvidarme
Fernando, si él viene a ser.

INÉS

775 Antes presumo que son
     entrambos los que han querido
     casarse, pues han partido
     entre los dos el listón.

PEDRO

Esta es materia que quiere
780 secreto y espacio. Entremos
     donde mejor la tratemos.

RODRIGO

Como yo ser vuestro espere,
no tengo más que tratar.

Retrato de Lope de Vega. Grabado por Pedro
Perret (1625)

Castillo de la Mota, en Medina del Campo

PEDRO

Aunque os quiero enamorado
785 de Inés, para el nuevo estado
quien soy os ha de obligar.

Vanse los tres.

INÉS

¡Qué vana fue mi esperanza!
¡Qué loco mi pensamiento!
¡Yo papel a don Rodrigo!
790 Y ¡tú de Fernando celos!
¡Oh forastero enemigo!

Sale Fabia.

¡Oh Fabia embustera!

FABIA

Quedo,
que lo está escuchando Fabia.

INÉS

Pues, ¿cómo, enemiga, has hecho
795 un enredo semejante?

FABIA

Antes fue tuyo el enredo;
si en aquel papel escribes
que fuese aquel caballero
por un listón de esperanza
800 a las rejas de tu güerto
y en ellas pones dos hombres
que le maten, aunque pienso
que, a no se haber retirado,
pagaran su loco intento.

INÉS

805 ¡Ay, Fabia! Ya que contigo
llego a declarar mi pecho,

ya que a mi padre, a mi estado
y a mi honor pierdo el respeto,
dime: ¿es verdad lo que dices?
810   Que, siendo así, los que fueron
a la reja le tomaron
y por favor se le han puesto.
De suerte estoy, madre mía,
que no puedo hallar sosiego
815   sino es pensando en quien sabes.

                    FABIA [*Aparte*]

¡Oh qué bravo efecto hicieron
los hechizos y conjuros!
La victoria me prometo.
No te desconsueles, hija;
820   vuelve en ti, que tendrás presto
estado con el mejor
y más noble caballero
que agora tiene Castilla,
porque será, por lo menos,
825   el que por único llaman
el caballero de Olmedo.
Don Alonso en una feria
te vio labradora Venus,
haciendo las cejas arco,
830   y flecha los ojos bellos.
Disculpa tuvo en seguirte,
porque dicen los discretos
que consiste la hermosura
en ojos y entendimientos.
835   En fin, en las verdes cintas
de tus pies llevaste presos
los suyos, que ya el amor
no prende con los cabellos.
El te sirve; tú le estimas.
840   El te adora; tú le has muerto.
El te escribe; tú respondes.
¿Quién culpa amor tan honesto?

Para él tienen sus padres,
porque es único heredero,
845 diez mil ducados de renta,
y aunque es tan mozo, son viejos.
Déjate amar y servir
del más noble, del más cuerdo
caballero de Castilla,
850 lindo talle, lindo ingenio.
El rey, en Valladolid,
grandes mercedes le ha hecho,
porque él solo honró las fiestas
de su real casamiento. [48]
855 Cuchilladas y lanzadas
dio en los toros como un Héctor; [49]
treinta precios [50] dio a las damas
en sortijas y torneos.
Armado, parece Aquiles [51]
860 mirando de Troya el cerco;
con galas parece Adonis:
mejor fin le den los cielos. [52]
Vivirás bien empleada
en un marido discreto;
865 ¡desdichada de la dama
que tiene marido necio!

INÉS

¡Ay, madre! Vuélvesme loca;
pero, triste, ¿cómo puedo
ser suya si a don Rodrigo
870 me da mi padre don Pedro?
El y don Fernando están
tratando mi casamiento.

[48] El rey don Juan II casó, en 1418, con doña María de Aragón, en Medina del Campo.
[49] Héctor: el más valiente de los jefes troyanos.
[50] precios: premios alcanzados en un torneo, que don Alonso daba a las damas.
[51] Aquiles: el más famoso de los griegos que cercaban a Troya.
[52] Adonis: joven griego de gran belleza que fue amado de Venus; el dios Marte, celoso, lo hizo matar por un jabalí.

FABIA

Los dos harán nulidad
la sentencia de ese pleito.

INÉS

875   Está don Rodrigo allí.

FABIA

Eso no te cause miedo,
pues es parte y no jüez.

INÉS

Leonor, ¿no me das consejo?

LEONOR

Y ¿estás tú para tomarle?
880   No sé. Pero no tratemos
en público destas cosas.

FABIA

Déjame a mí tu suceso.
Don Alonso ha de ser tuyo.
Que serás dichosa espero
885   con hombre que es en Castilla
la gala de Medina, la flor de Olmedo.

ACTO SEGUNDO

Salen Tello y Don Alonso.

ALONSO

Tengo el morir por mejor,
Tello, que vivir sin ver.

TELLO

Temo que se ha de saber
890 este tu secreto amor;
que, con tanto ir y venir
de Olmedo a Medina, creo
que a los dos da tu deseo
que sentir y aun que decir.

ALONSO

895 ¿Cómo puedo yo dejar
de ver a Inés, si la adoro?

TELLO

Guardándole más decoro
en el venir y el hablar;

77

que en ser a tercero día
900 pienso que te dan, señor,
tercianas de amor. [53]

ALONSO

Mi amor
ni está ocioso ni se enfría;
siempre abrasa y no permite
que esfuerce naturaleza
905 un instante su flaqueza,
porque jamás se remite.
Mas bien se ve que es león
amor; su fuerza, tirana;
pues que con esta cuartana [54]
910 se amansa mi corazón.
Es esta ausencia una calma
de amor, porque si estuviera
adonde siempre a Inés viera,
fuera salamandra el alma. [55]

TELLO

915 ¿No te cansa y te amohina
tanto entrar, tanto partir?

ALONSO

Pues yo, ¿qué hago en venir,
Tello, de Olmedo a Medina?
Leandro pasaba un mar
920 todas las noches, por ver
si le podía beber
para poderse templar. [56]

[53] Juego de palabras entre *tercero día* (hace tres días que don Alonso conoce a Inés) y *tercianas* (calentura intermitente).
[54] *Cuartana*: calentura que entra de cuatro en cuatro días.
[55] *Salamandra*: "dicen della ser tan fría que pasando por las ascuas las mata como si fuese puro hielo" (Covarrubias). "Metafóricamente significa lo que se mantiene en el fuego del amor o afecto" (*Dicc. de Autoridades*).
[56] *Leandro*: cada día Leandro cruzaba nadando el estrecho del Helesponto para reunirse con su amada, Hero, hasta que una noche se ahogó.

Pues si entre Olmedo y Medina
no hay, Tello, un mar, ¿qué me debe
Inés?

TELLO

925   A otro mar se atreve
quien al peligro camina
en que Leandro se vio;
pues a don Rodrigo veo
tan cierto de tu deseo
930 como puedo estarlo yo;
que como yo no sabía
cuya [57] aquella capa fue,
un día que la saqué...

ALONSO

¡Gran necedad!

TELLO

      ...como mía,
935 me preguntó: "Diga, hidalgo,
¿quién esta capa le dio?
porque la conozco yo".
Respondí: "Si os sirve en algo,
daréla a un criado vuestro".
940 Con esto, descolorido,
dijo: "Habíala perdido
de noche un lacayo nuestro.
Pero mejor empleada
está en vos; guardadla bien";
945 y fuese a medio desdén,
puesta la mano en la espada.
Sabe que te sirvo y sabe
que la perdió con los dos.
Advierte, señor, por Dios,
950 que toda este gente es grave [57 bis]
y que están en su lugar,

57 *Cuya*: de quién.
57 bis *grave*: "noble", "hidalga".

donde todo gallo canta. [58]
Sin esto, también me espanta
ver este amor comenzar
955   por tantas hechicerías,
y que cercos y conjuros [59]
no son remedios seguros,
si honestamente porfías.
Fui con ella, ¡que no fuera!
960   a sacar de un ahorcado
una muela; puse a un lado,
como Arlequín, la escalera.
Subió Fabia; quedé al pie
y díjome el salteador:
965   "Sube, Tello, sin temor,
o si no yo bajaré".
¡San Pablo! allí me caí;
tan sin alma vine al suelo
que fue milagro del cielo
970   el poder volver en mí.
Bajó, desperté turbado
y de mirarme afligido,
porque, sin haber llovido,
estaba todo mojado.

ALONSO

975   Tello, un verdadero amor
en ningún peligro advierte.
Quiso mi contraria suerte
que hubiese competidor
y que trate, enamorado,
980   casarse con doña Inés.
Pues, ¿qué he de hacer, si me ves
celoso y desesperado?
No creo en hechicerías,
que todas son vanidades;

[58] "Cada gallo canta en su muladar. Como decir: es señor"
(Correas).
[59] *Cerco*: "entrar en cerco, hacer conjuros dentro de un cerco
[círculo], superstición de hechicería y arte mágica" (Covarrubias).

985 quien concierta voluntades
son méritos y porfías.
Inés me quiere; yo adoro
a Inés, yo vivo en Inés.
Todo lo que Inés no es
990 desprecio, aborrezco, ignoro.
Inés es mi bien; yo soy
esclavo de Inés; no puedo
vivir sin Inés. De Olmedo
a. Medina vengo y voy,
995 porque Inés mi dueño es
para vivir o morir.

TELLO

Sólo te falta decir:
"un poco te quiero, Inés". [60]
Plega a Dios que por bien sea.

ALONSO

Llama, que es hora.

TELLO

1000   Yo voy.

ANA

¿Quién es?

TELLO

          ¿Tan presto? Yo soy.
¿Está en casa Melibea?
Que viene Calisto aquí

ANA

Aguarda un poco, Sempronio.

[60] Correas cita el refrán: "Un poco te quiero, Inés. Yo te lo
diré después".

TELLO

1005   Sí haré, falso testimonio.

Sale doña Inés.

INÉS

¿El mismo?

ANA

Señora, sí.

INÉS

¡Señor mío!

ALONSO

Bella Inés,
esto es venir a vivir.

TELLO

Agora no hay que decir:
1010   "yo te lo diré después" [61]

INÉS

¡Tello amigo!

TELLO

¡Reina mía!

INÉS

Nunca, Alonso de mis ojos,
por haberme dado enojos
esta ignorante porfía
1015   de don Rodrigo, esta tarde
he estimado que me vieses. [62]

---

[61] Tello completa aquí el refrán; v. nota anterior.
[62] La redondilla no está completa; faltan dos versos.

ALONSO

Aunque fuerza de obediencia
te hiciese tomar estado,
no he de estar desengañado
1020 hasta escuchar la sentencia.
Bien el alma me decía,
y a Tello se lo contaba,
cuando el caballo sacaba
y el sol los que aguarda el día, [63]
1025 que de alguna novedad
procedía mi tristeza,
viniendo a ver tu belleza,
pues me dices que es verdad.
¡Ay de mí, si ha sido ansí!

INÉS

1030 No lo creas, porque yo
diré a todo el mundo no,
después que te dije sí.
Tú solo dueño has de ser
de mi libertad y vida;
1035 no hay fuerza que el ser impida,
don Alonso, tu mujer.
Bajaba al jardín ayer,
y como, por don Fernando,
me voy de Leonor guardando,
1040 a las fuentes, a las flores
estuve diciendo amores
y estuve también llorando.
Flores y aguas, les decía,
dichosa vida gozais,
1045 pues aunque noche pasais,
veis vuestro sol cada día.
Pensé que me respondía
la lengua de una azucena
—¡qué engaños amor ordena!—:

[63] Entiéndase: cuando el sol sacaba los caballos que han de
llevarlo, es decir, estaba saliendo el sol.

1050 si el sol que adorando estás
   viene de noche, que es más,
   Inés, ¿de qué tienes pena?

TELLO

   Así dijo a un ciego un griego
   que le contó mil disgustos:
1055 pues tiene la noche gustos
   ¿para qué te quejas, ciego?

INÉS

   Como mariposa llego
   a estas horas, deseosa
   de tu luz; no mariposa,
1060 Fénix [64] ya, pues de una suerte
   me da vida y me da muerte
   llama tan dulce y hermosa.

ALONSO

   ¡Bien haya el coral, amén,
   de cuyas hojas de rosas [65]
1065 palabras tan amorosas
   salen a buscar mi bien!
   Y advierte que yo también,
   cuando con Tello no puedo,
   mis celos, mi amor, mi miedo
1070 digo en tu ausencia a las flores.

TELLO

   Yo le vi decir amores
   a los rábanos de Olmedo; [66]
   que un amante suele hablar
   con las piedras, con el viento.

---

[64] *Fénix*: ave fabulosa que se dejaba quemar en una hoguera y renacía de sus cenizas al instante.

[65] *Coral, rosas*: la boca de Inés.

[66] *Rábanos de Olmedo*: frase proverbial que cita Covarrubias sin comentarios.

ALONSO

1075 No puede mi pensamiento
ni estar solo ni callar;
contigo, Inés, ha de estar,
contigo hablar y sentir.
Oh ¡quién supiera decir
1080 lo que te digo en ausencia!
Pero estando en tu presencia,
aun se me olvida el vivir.
Por el camino le cuento
tus gracias a Tello, Inés,
1085 y celebramos después
tu divino entendimiento.
Tal gloria en tu nombre siento
que una mujer recibí
de tu nombre, porque ansí,
1090 llamándola todo el día,
pienso, Inés, señora mía,
que te estoy llamando a ti.

TELLO

Pues advierte, Inés discreta,
de los dos tan nuevo efeto,
1095 que a él le has hecho discreto,
y a mí me has hecho poeta.
Oye una glosa a un estribo [67]
que compuso don Alonso
a manera de responso,
1100 si los hay en muerto vivo:
En el valle a Inés
la dejé riendo.
Si la ves, Andrés,
dile cuál me ves
1105 por ella muriendo. [68]

---

[67] *Estribo:* estribillo.
[68] Esta quintilla ya aparece glosada en la *Flor de romances* impresa en Zaragoza, 1578.

INÉS

¿Don Alonso la compuso?

TELLO

Que es buena jurarte puedo
para poeta de Olmedo;
escucha.

ALONSO

Amor lo dispuso.

TELLO

1110   Andrés, después que las bellas
       plantas de Inés goza el valle,
       tanto florece con ellas
       que quiso el cielo trocalle
       por sus flores sus estrellas.
1115   Ya el valle es cielo, después
       que su primavera es,
       pues verá el cielo en el suelo
       quien vio, pues Inés es cielo,
       en el valle a Inés.
1120   Con miedo y respeto estampo
       el pie donde el suyo huella;
       que ya Medina del Campo
       no quiere aurora más bella
       para florecer su campo.
1125   Yo la vi de amor huyendo,
       cuanto miraba matando,
       su mismo desdén venciendo,
       y, aunque me partí llorando,
       la dejé riendo.
1130   Dile, Andrés, que ya me veo
       muerto por volverla a ver,
       aunque cuando llegues, creo
       que no será menester,
       que me habrá muerto el deseo.
1135   No tendrás que hacer después

que a sus manos vengativas
llegues, si una vez la ves,
ni aun es posible que vivas,
si la ves, Andrés.

1140   Pero si matarte olvida,
por no hacer caso de ti,
dile a mi hermosa homicida
que por qué se mata en mí,
pues que sabe que es mi vida.

1145   Dile: Cruel, no le des
muerte, si vengada estás
y te ha de pesar después.
Y pues no me has de ver más, [69]
dile cuál me ves.

1150   Verdad es que se dilata
el morir, pues con mirar
vuelve a dar vida la ingrata,
y ansí se cansa en matar,
pues da vida a cuantos mata.

1155   Pero, muriendo o viviendo,
no me pienso arrepentir
de estarla amando y sirviendo,
que no hay bien como vivir
por ella muriendo.

INÉS

1160   Si es tuya, notablemente
te has alargado en mentir
por don Alonso.

ALONSO

Es decir
que mi amor en versos miente,
pues, señora, ¿qué poesía
1165   llegará a significar
mi amor?

---

[69] El sentido parece exigir "no me ha de ver".

INÉS

¡Mi padre!

ALONSO

¿Ha de entrar?

INÉS

Escondeos.

ALONSO

¿Dónde?

Ellos se entran y sale don Pedro.

PEDRO

Inés mía,
¿agora por recoger?
¿Cómo no te has acostado?

INÉS

1170 Rezando, señor, he estado
por lo que dijiste ayer,
rogando a Dios que me incline
a lo que fuere mejor.

PEDRO

Cuando para ti mi amor
1175 imposibles imagine,
no pudiera hallar un hombre
como don Rodrigo, Inés.

INÉS

Ansí dicen todos que es
de su buena fama el nombre;
1180 y, habiéndome de casar,
ninguno en Medina hubiera
ni en Castilla que pudiera
sus méritos igualar.

PEDRO

¿Cómo habiendo de casarte?

INÉS

1185 Señor, hasta ser forzoso
decir que ya tengo esposo,
no he querido disgustarte.

PEDRO

¿Esposo? ¿Qué novedad
es ésta, Inés?

INÉS

Para ti
1190 será novedad, que en mí
siempre fue mi voluntad.
Y ya que estoy declarada,
hazme mañana cortar
un hábito, para dar
1195 fin a esta gala excusada;
que así quiero andar, señor,
mientras me enseñan latín.
Leonor te queda; que al fin
te dará nietos Leonor.
1200 Y por mi madre te ruego
que en esto no me repliques,
sino que medios apliques
a mi elección y sosiego.
Haz buscar una mujer
1205 de buena y santa opinión
que me dé alguna lición
de lo que tengo de ser
y un maestro de cantar,
que de latín sea también.

PEDRO

1210 ¿Eres tú quien habla o quién?

INÉS

Esto es hacer, no es hablar.

PEDRO

Por una parte, mi pecho
se enternece de escucharte,
Inés, y por otra parte,
1215 de duro mármol le has hecho.
En tu verde edad mi vida
esperaba sucesión;
pero si esto es vocación,
no quiera Dios que lo impida.
1220 Haz tu gusto, aunque tu celo
en esto no intenta el mío;
que ya sé que el albedrío
no presta obediencia al cielo.
Pero porque suele ser
1225 nuestro pensamiento humano
tal vez inconstante y vano,
y en condición de mujer,
que es fácil de persuadir,
tan poca firmeza alcanza,
1230 que hay de mujer a mudanza
lo que de hacer a decir,
mudar las galas no es justo,
pues no pueden estorbar
a leer latín o cantar,
1235 ni a cuanto fuere tu gusto.
Viste alegre y cortesana,
que no quiero que Medina,
si hoy te admirare divina,
mañana te burle humana.
1240 Yo haré buscar la mujer
y quien te enseñe latín,
pues a mejor padre, en fin,
es más justo obedecer.
Y con esto a Dios te queda,
1245 que para no darte enojos

van a esconderse mis ojos
adonde llorarte pueda.

Vase y salgan don Alonso y Tello.

INÉS

Pésame de haberte dado
disgusto.

ALONSO

      A mí no me pesa,
1250 por el que me ha dado el ver
que nuestra muerte conciertas.
¡Ay, Inés! ¿Adónde hallaste
en tal desdicha, en tal pena,
tan breve remedio?

INÉS

          Amor
1255 en los peligros enseña
una luz por donde el alma
posibles remedios vea.

ALONSO

Este, ¿es remedio posible?

INÉS

Como yo agora le tenga
1260 para que este don Rodrigo
no llegue al fin que desea.
Bien sabes que breves males
la dilación los remedia;
que no dejan esperanza
1265 si no hay segunda sentencia.

TELLO

Dice bien, señor, que en tanto
que doña Inés cante y lea,

podeis dar orden los dos
para que os valga la iglesia.
1270 Sin esto, desconfiado
don Rodrigo, no hará fuerza
a don Pedro en la palabra,
pues no tendrá por ofensa
que le deje doña Inés
1275 por quien dice que le deja.
También es linda ocasión
para que yo vaya y venga
con libertad a esta casa.

ALONSO

¿Libertad? ¿De qué manera?

TELLO

1280 Pues ha de leer latín,
¿no será fácil que pueda
ser yo quien venga a enseñarla?
Y verás con qué destreza
la enseño a leer tus cartas.

ALONSO

1285 ¡Qué bien mi remedio piensas!

TELLO

Y aun pienso que podrá Fabia
servirte en forma de dueña,
siendo la santa mujer
que con su falsa apariencia
venga a enseñarla.

INÉS

1290   Bien dices;
Fabia será mi maestra
de virtudes y costumbres.

TELLO

¡Y qué tales serán ellas!

ALONSO

1295 Mi bien, yo temo que el día,
que es amor dulce materia
para no sentir las horas
que por los amantes vuelan,
nos halle tan descuidados
que al salir de aquí me vean,
1300 o que sea fuerza quedarme,
¡ay Dios, qué dichosa fuerza!
Medina a la Cruz de Mayo [70]
hace sus mayores fiestas;
yo tengo que prevenir,
1305 que, como sabes, se acercan;
que fuera de que en la plaza
quiero que galán me veas,
de Valladolid me escriben
que el rey don Juan viene a verlas;
1310 que en los montes de Toledo
le pide que se entretenga
el condestable [71] estos días,
porque en ellos convalezca,
y de camino, señora,
1315 que honre esta villa le ruega;
y así es razón que le sirva
la nobleza desta tierra.
Guárdete el cielo, mi bien.

INÉS

Espera, que a abrir la puerta
1320 es forzoso que yo vaya.

ALONSO

¡Ay luz! ¡ay aurora necia,
de todo amante envidiosa!

---

[70] *La Cruz de Mayo*: la Invención de la Santa Cruz, fiesta religiosa que se celebra el 3 de mayo.
[71] *El condestable*: Álvaro de Luna (1390?-1453), valido del rey Juan II.

TELLO

Ya no aguardeis que amanezca.

ALONSO

¿Cómo?

TELLO

Porque es de día.

ALONSO

1325   Bien dices, si a Inés me muestras;
pero ¿cómo puede ser,
Tello, cuando el sol se acuesta?

TELLO

Tú vas despacio, él aprisa;
apostaré que te quedas.

Salen don Rodrigo y don Fernando

RODRIGO

1330   Muchas veces había reparado,
don Fernando, en aqueste caballero,
del corazón solícito avisado.
El talle, el grave rostro, lo severo,
celoso me obligaban a miralle.

FERNANDO

1335   Efetos son de amante verdadero
que, en viendo otra persona de buen talle,
tienen temor que si le ve su dama
será posible o fuerza codicialle.

RODRIGO

Bien es verdad que él tiene tanta fama
1340   que, por más que en Medina se encubría,

el mismo aplauso popular le aclama.
Vi, como os dije, aquel mancebo un día
que la capa perdida en la pendencia
contra el valor de mi opinión traía.
1345 Hice secretamente diligencia
después de hablarle y satisfecho quedo
que tiene esta amistad correspondencia.
Su dueño es don Alonso, aquel de Olmedo,
alanceador galán y cortesano,
1350 de quien hombres y toros tienen miedo.
Pues, si éste sirve a Inés, ¿qué intento en vano?
¿O cómo quiero yo, si ya le adora,
que Inés me mire con semblante humano?

FERNANDO

¿Por fuerza ha de quererle?

RODRIGO

                Él la enamora
1355 y merece, Fernando, que le quiera.
¿Qué he de pensar, si me aborrece agora?

FERNANDO

Son celos, don Rodrigo, una quimera
que se forma de envidia, viento y sombra,
con que lo incierto imaginado altera;
1360 una fantasma que de noche asombra;
un pensamiento que a locura inclina,
y una mentira que verdad se nombra.

RODRIGO

Pues ¿cómo tantas veces a Medina
viene y va don Alonso? Y ¿a qué efeto
1365 es cédula de noche en una esquina? [72]
Yo me quiero casar; vos sois discreto;
¿qué consejo me dais, si no es matalle?

---

[72] *Cédula*: pasquín que se fija de noche en las esquinas.

FERNANDO

Yo hago diferente mi conceto;
que ¿cómo puede doña Inés amalle
si nunca os quiso a vos?

RODRIGO

1370   Porque es respuesta
que tiene mayor dicha o mejor talle.

FERNANDO

Mas porque doña Inés es tan honesta
que aun la ofendéis con nombre de marido.

RODRIGO

Yo he de matar a quien vivir me cuesta
1375 en su desgracia, porque tanto olvido
no puede proceder de honesto intento.
Perdí la capa y perderé el sentido.

FERNANDO

Antes dejarla a don Alonso siento
que ha sido como echársela en los ojos.
1380 Ejecutad, Rodrigo, el casamiento;
llévese don Alonso los despojos
y la vitoria vos.

RODRIGO

           Mortal desmayo
cubre mi amor de celos y de enojos.

FERNANDO

Salid galán para la Cruz de Mayo,
1385 que yo saldré con vos; pues el rey viene,
las sillas piden el castaño y bayo.
Menos aflige el mal que se entretiene.

Caballero Santiaguista. Anónimo

Museo del Prado

Señora con abanico de Velázquez

Colección Wallace, Londres

RODRIGO

Si viene don Alonso, ya Medina
¿qué competencia con Olmedo tiene? [73]

FERNANDO

¡Qué loco estais!

RODRIGO

1390   Amor me desatina.

Vanse

Salen don Pedro, Doña Inés y doña Leonor

PEDRO

No porfíes.

INÉS

                    No podrás
mi propósito vencer.

PEDRO

Hija, ¿qué quieres hacer,
que tal veneno me das?
Tiempo te queda.

INÉS

1395   Señor,
¿qué importa el hábito pardo
si para siempre le aguardo?

LEONOR

Necia estás.

INÉS

Calla, Leonor.

---

[73] Es decir: le será difícil a don Rodrigo, vecino de Medina,
competir con don Alonso, el caballero de Olmedo, si éste entra en
las justas y torneos.

LEONOR

Por lo menos estas fiestas
has de ver con galas.

INÉS

1400   Mira
que quien por otras suspira
ya no tiene el gusto en éstas.
Galas celestiales son
las que ya mi vida espera.

PEDRO

1405   ¿No basta que yo lo quiera?

INÉS

Obedecerte es razón.

Sale Fabia, con un rosario y báculo y antoios [74]

FABIA

¡Paz sea en aquesta casa!

PEDRO

Y venga con vos.

FABIA

                              ¿Quién es
la señora doña Inés,
1410   que con el Señor se casa?
¿Quién es aquella que ya
tiene su Esposo elegida
y como a prenda querida
estos impulsos le da?

PEDRO

1415   Madre honrada,-ésta que veis,
y yo su padre.

---

[74] *Antojos*: anteojos.

FABIA

Que sea
muchos años y ella vea
el dueño que vos no veis,
aunque en el Señor espero
1420 que os ha de obligar piadoso
a que aceteis tal Esposo,
que es muy noble caballero.

PEDRO

Y ¡cómo, madre, si lo es!

FABIA

Sabiendo que anda a buscar
1425 quien venga a morigerar
los verdes años de Inés,
quien la guíe, quien la muestre
las sémitas [75] del Señor,
y al camino del amor
1430 como a principianta adiestre,
hice oración en verdad
y tal impulso me dio
que vengo a ofrecerme yo
para esta necesidad,
1435 aunque soy gran pecadora.

PEDRO

Esta es la mujer, Inés,
que has menester.

INÉS

Esta es
la que he menester agora.
Madre, abrázame.

---

[75] *Sémitas:* sendas.

FABIA

Quedito,
1440   que el silicio me hace mal.

PEDRO

No he visto humildad igual.

LEONOR

En el rostro trae escrito
lo que tiene el corazón.

FABIA

¡O qué gracia, o qué belleza!
1445   ¡Alcance tu gentileza
mi deseo y bendición!
¿Tienes oratorio?

INÉS

Madre,
comienzo a ser buena agora.

FABIA

Como yo soy pecadora,
1450   estoy temiendo a tu padre.

PEDRO

No le pienso yo estorbar
tan divina vocación.

FABIA

¡En vano, infernal dragón,
la pensabas devorar!
1455   No ha de casarse en Medina;
monasterio tiene Olmedo;
Domine, si tanto puedo,
ad juvandum me festina.

PEDRO

¡Un ángel es la mujer!

Sale Tello, de gorrón [76]

TELLO

1460   Si con sus hijas está,
        yo sé que agradecerá
        que yo me venga a ofrecer.
        El maestro que buscais
        está aquí, señor don Pedro,
1465   para latín y otras cosas,
        que dirá después su efeto.
        Que buscais un estudiante
        en la iglesia me dijeron,
        porque ya desta señora
1470   se sabe el honesto intento.
        Aquí he venido a serviros,
        puesto que [77] soy forastero,
        si valgo para enseñarla.

PEDRO

        Ya creo y tengo por cierto,
1475   viendo que todo se junta,
        que fue voluntad del cielo.
        En casa puede quedarse
        la madre y este mancebo
        venir a darte lición.
1480   Concertadlo, mientras vuelvo.
        ¿De dónde es, galán? [78]

TELLO

        Señor, soy calahorreño.

76 *Gorrón*: (o *capigorrón*) el estudiante pobre, llamado así por
ir de capa y gorra.
77 *Puesto que*: aunque.
78 Verso falto de dos sílabas.

PEDRO

¿Su nombre?

TELLO

Martín Peláez. [79]

PEDRO

Del Cid debe de ser deudo.
¿Dónde estudió?

TELLO

1485   En La Coruña,
y soy por ella maestro. [80]

PEDRO

¿Ordenóse?

TELLO

Sí, señor,
de vísperas. [81]

PEDRO

Luego vengo.

TELLO

¿Eres Fabia?

FABIA

¿No lo ves?

LEONOR

Y tú, ¿Tello?

[79] Martín Peláez: compañero del Cid, según la leyenda.
[80] En La Coruña no había Universidad.
[81] De vísperas: ordenarse de vísperas no tiene ninguna significación; Tello bromea aquí, como lo hace al hablar de su ordenación en una Universidad inexistente.

INÉS

1490   ¡Amigo Tello!

LEONOR

¿Hay mayor bellaquería?

INÉS

¿Qué hay de don Alonso?

TELLO

                              ¿Puedo
fiar de Leonor?

INÉS

              Bien puedes.

LEONOR

Agraviara Inés mi pecho
1495 y mi amor, si me tuviera
su pensamiento encubierto.

TELLO

Señora, para servirte
está don Alonso bueno,
para las fiestas de Mayo,
1500 tan cerca ya, previniendo
galas, caballos, jaezes,
lanza y rejones; que pienso
que ya le tiemblan los toros.
Una adarga [82] habemos hecho,
1505 si se conciertan las cañas, [83]
como de mi raro ingenio.
Allá la verás, en fin.

[82] *Adarga*: "un género de escudo hecho de ante del cual usan
en España los jinetes" (Covarrubias).
[83] *Cañas*: "En España es muy usado el jugar las cañas, que es
un género de pelea de hombres de a caballo" (Covarrubias).

INÉS

¿No me ha escrito?

TELLO

                    Soy un necio;
ésta, señora, es la carta.

INÉS

1510   Bésola de porte [84] y leo.

Don Pedro vuelve

PEDRO

Pues pon el coche, si está
malo el alazán. ¿Qué es esto?

TELLO

¡Tu padre! Haz que lees y yo
haré que latín te enseño.
Dominus...

INÉS

Dominus.

TELLO

1515   Diga.

INÉS

¿Cómo más?

TELLO

Dominus meus.

INÉS

Dominus meus.

---

[84] *Porte*: el porte de las cartas lo pagaban los que las recibían. Doña Inés paga con un beso.

TELLO

Ansí
poco a poco irá leyendo.

PEDRO

¿Tan presto tomas lición?

INÉS

1520 Tengo notable deseo.

PEDRO

Basta, que a decir, Inés,
me envía el ayuntamiento
que salga a las fiestas yo.

INÉS

Muy discretamente han hecho,
1525 pues viene a la fiesta el rey.

PEDRO

Pues sea con un concierto:
que has de verlas con Leonor.

INÉS

Madre, dígame si puedo
verlas sin pecar.

FABIA

Pues, ¿no?
1530 No escrupulices en eso,
como algunos tan mirlados [85]
que piensan, de circunspectos,
que en todo ofenden a Dios
y, olvidados de que fueron

---

[85] *Mirlado*: "el hombre compuesto y mesurado con artificio, a
semejanza de la mirla, porque esta avecica, cuando se baña y se
pone a enjugar al sol, adereza sus plumas y se compone con gran
aseo" (Covarrubias).

1535   hijos de otros, como todos,
       cualquiera entretenimiento
       que los trabajos olvide
       tienen por notable exceso.
       Y aunque es justo moderarlos,
1540   doy licencia, por lo menos
       para estas fiestas, por ser
       jugatoribus paternus. [86]

PEDRO

       Pues vamos, que quiero dar
       dineros a tu maestro
1545   y a la madre para un manto.

FABIA

       ¡A todos cubra el del cielo!
       Y vos, Leonor, ¿no sereis
       como vuestra hermana presto?

LEONOR

       Sí, madre, porque es muy justo
1550   que tome tan santo ejemplo.

*Sale el rey don Juan con acompañamiento y el
                Condestable*

REY

       No me traigais al partir
       negocios que despachar.

CONDESTABLE

       Contienen sólo firmar;
       no has de ocuparte en oir.

REY

1555   Decid con mucha presteza.

---

[86] Palabras sin significación clara que imitan burlescamente formas latinas y aluden a los juegos que va a presenciar el padre,
Don Pedro.

CONDESTABLE

¿Han de entrar?

REY

Ahora no.

CONDESTABLE

Su Santidad concedió
lo que pidió vuestra alteza
por Alcántara, señor.

REY

1560 Que mudase le pedí
el hábito, porque ansí
pienso que estará mejor.

CONDESTABLE

Era aquel traje muy feo.

REY

Cruz verde pueden traer. [87]
1565 Mucho debo agradecer
al pontífice el deseo
que de nuestro aumento muestra,
con que irán siempre adelante
estas cosas del infante,
1570 en cuanto es de parte nuestra. [88]

---

[87] "En este tiempo [1411] el infante [don Fernando] enbió a
suplicar al Santo Padre, porque antes de entonces el Maestre y
caballeros de la Orden de Alcántara traían por hábito un capirote
vestido con una chía [beca] tan ancha como una mano y larga
de palmo y medio, que a Su Santidad pluguiese mudarles el hábito y mandase que dejasen los capirotes y trajesen cruces verdes
como los de Calatrava las traían coloradas" (*Crónica de Juan II*,
B.A.E., t. LXVIII, p. 340).

[88] Lope alude aquí a las gestiones del papa Benedicto XIII (el
papa o antipapa aragonés Pedro de Luna; 1328-1423) a favor del
infante castellano, tío del rey Juan II, don Fernando de Antequera
(1379-1416) que fue elegido rey de Aragón en el Compromiso de
Caspe (1412).

CONDESTABLE

Estas son dos provisiones,
y entrambas notables son.

REY

¿Qué contienen?

CONDESTABLE

                    La razón
de diferencia que pones
1575   entre los moros y hebreos
que en Castilla han de vivir.

REY

Quiero con esto cumplir,
condestable, los deseos
de fray Vicente Ferrer [89]
1580   que lo ha deseado tanto.

CONDESTABLE

Es un hombre docto y santo.

REY

Resolví con él ayer
que en cualquiera reino mío
donde mezclados están,
1585   a manera de gabán
traiga un tabardo el judío
con una señal en él
y un verde capuz el moro;
tenga el cristiano el decoro

---

[89] *San Vicente Ferrer* (1350-1419): dominico valenciano, famoso
predicador; residió algún tiempo en la corte de Juan II de Castilla;
tomó parte en las sesiones del Compromiso de Caspe, votando a
favor de Fernando de Antequera; como era familiar de Benedicto
XIII (había sido su confesor), su voto puede interpretarse como
reflejo de la opinión del papa en este asunto (véase la nota anterior). En 1413, intervino en las conferencias de la controversia cris-
tiano-hebrea.

1590   que es justo; apártese dél;
       que con esto tendrán miedo
       lo que su nobleza infaman. [90]

CONDESTABLE

       A don Alonso, que llaman
       el caballero de Olmedo
1595   hace vuestra alteza aquí
       merced de un hábito. [91]

REY

                    Es hombre
       de notable fama y nombre.
       En esta villa le vi
       cuando se casó mi hermana. [92]

CONDESTABLE

1600   Pues pienso que determina,
       por servirte, ir a Medina
       a las fiestas de mañana.

REY

       Decidle que fama emprenda
       en el arte militar,

---

[90] Después de las matanzas del año 1391 se incrementa mucho
la categoría de los judíos convertidos al catolicismo (*conversos*). Se
sospecha que muchos de estos cristianos nuevos siguen practicando
ciertos ritos de su antigua religión. A fin de mantener la pureza
de la fe en estos neófitos, se promulga en 1412 el Ordenamiento de
Valladolid sobre el "encerramiento de los judíos e de los moros"
en barrios especiales (las juderías y morerías); además se les impone llevar un distintivo: el tabardo con señal bermeja para los
judíos y el manto verde con luna azul para los moros.

[91] *Hábito*: la dignidad de caballero de una de las Órdenes Militares.

[92] Ninguna de las dos hermanas del rey Juan II se casó en
Medina del Campo; pero allí se concertó la boda de doña Catalina con el infante don Enrique. Por lo demás, esta escena parece
ocurrir en Valladolid. V. la edición de F. Rico, nota a este verso.

1605 porque yo le pienso honrar
      con la primera encomienda. [93]

Vanse

Sale don Alonso

ALONSO

      ¡Ay riguroso estado, [94]
      ausencia, mi enemiga,
      que dividiendo el alma
1610 puedes dejar la vida!
      ¡Cuán bien, por tus efetos,
      te llaman muerte viva,
      pues das vida al deseo,
      y matas a la vista!
1615 ¡Oh cuán piadosa fueras
      si, al partir de Medina,
      la vida me quitaras
      como el alma me quitas!
      En ti, Medina, vive
1620 aquella Inés divina,
      que es honra de la corte
      y gloria de la villa.
      Sus alabanzas cantan
      las aguas fugitivas,
1625 las aves que la escuchan,
      las flores que la imitan.
      Es tan bella que tiene
      envidia de sí misma,
      pudiendo estar segura
1630 que el mismo sol la envidia,
      pues no la ve más bella
      por su dorada cinta

---

[93] *Encomienda*: dignidad de comendador de una de las Órdenes Militares, mucho más ventajosa que la de caballero, ya que el comendador cobra las rentas correspondientes a su encomienda, es decir al territorio de la Orden que le ha sido atribuido.

[94] El romance que sigue lo incluye también Lope con muchas variantes en la *Dorotea* (ed. E. S. Morby, p. 240-244).

ni cuando viene a España
ni cuando va a las Indias.
1635 Yo merecí quererla,
—¡dichosa mi osadía!—
que es merecer sus penas
calificar mis dichas.
Cuando pudiera verla,
1640 adorarla y servirla,
la fuerza del secreto
de tanto bien me priva.
Cuando mi amor no fuera
de fe tan pura y limpia,
1645 las perlas de sus ojos
mi muerte solicitan.
Llorando por mi ausencia
Inés quedó aquel día,
que sus lágrimas fueron
1650 de sus palabras firma.
Bien sabe aquella noche
que pudiera ser mía;
cobarde amor, ¿qué aguardas,
cuando respetos miras?
1655 ¡Ay Dios! ¡qué gran desdicha
partir el alma y dividir la vida!

Sale Tello

TELLO

¿Merezco ser bien llegado?

ALONSO

No sé si diga que sí;
que me has tenido sin mí
1660 con lo mucho que has tardado.

TELLO

Si por tu remedio ha sido,
¿en qué me puedes culpar?

ALONSO

¿Quién me puede remediar
si no es a quien yo le pido?
¿No me escribe Inés?

TELLO

1665   Aquí
te traigo cartas de Inés.

ALONSO

Pues hablarásme después
en lo que has hecho por mí.
Lea: Señor mío, después que os partistes no he
vivido, que sois tan cruel que aun no me dejais
vida cuando os vais.

TELLO

¿No lees más?

ALONSO

No.

TELLO

¿Por qué?

ALONSO

1670 Porque manjar tan süave
de una vez no se me acabe.
Hablemos de Inés.

TELLO

Llegué
con media sotana y guantes,
que parecía de aquellos
1675 que hacen en solos los cuellos
ostentación de estudiantes.
Encajé salutación,

verbosa filatería, [95]
dando a la bachillería [96]
1680 dos piensos [97] de discreción.
Y, volviendo el rostro, vi
a Fabia.

ALONSO

    Espera que leo
otro poco, que el deseo
me tiene fuera de mí.
Lea: Todo lo que dejaste ordenado se hizo;
sólo no se hizo que viviese yo sin vos, porque
no lo dejasteis ordenado.

TELLO

1685 ¿Es aquí contemplación?

ALONSO

Dime cómo hizo Fabia
lo que dice Inés.

TELLO

    Tan sabia,
y con tanta discreción,
melindre [98] y hipocresía
1690 que me dieron que temer
algunos que suelo ver
cabizbajos todo el día.
De hoy más quedaré advertido
de lo que se ha de creer

---

95 *Filatería*: "deste término usamos para dar a entender el tropel de palabras que un hablador embaucador ensarta y enhila para engañarnos y persuadirnos lo que quiere, por semejanza de muchos hilos enredados unos con otros" (Covarrubias).
96 *Bachillería*: "al que es agudo hablador y sin fundamento decimos ser bachiller y bachillería la agudeza con curiosidad. Bachillerear, hablar en esta manera" (Covarrubias).
97 *Piensos*: medida. Tello va mezclando un poco de discreción a su charla descabellada.
98 *Melindre*: "el regalo con que suelen hablar algunas damas, a las cuales por esta razón llamamos melindrosas" (Covarrubias).

1695   de una hipócrita mujer
       y un ermitaño fingido.
       Pues si me vieras a mí,
       con el semblante mirlado,
       dijeras que era traslado
1700   de un reverendo alfaquí. [99]
       Creyóme el viejo, aunque en él
       se ve de un Catón [100] retrato.

ALONSO

Espera, que ha mucho rato
que no he mirado el papel.
Lea: Daos prisa a venir para que sepais cómo
quedo cuando os partís y cómo estoy cuando
volveis.

TELLO

1705   ¿Hay otra estación aquí?

ALONSO

En fin, tú hallaste lugar
para entrar y para hablar.

TELLO

Estudiaba Inés en ti,
que eras el latín, señor,
1710   y la lición que aprendía.

ALONSO

Leonor, ¿qué hacía?

TELLO

                    Tenía
envidia de tanto amor,
porque se daba a entender

---

[99]   *Alfaquí*: sacerdote moro.
[100]   *Catón*: romano célebre por la austeridad de sus principios
(234-149 a. de J. C.).

que de ser amado eres
1715 digno; que muchas mujeres
quieren porque ven querer,
que en siendo un hombre querido
de alguna con grande afeto
piensan que hay algún secreto
1720 en aquel hombre escondido,
y engáñanse, porque son
correspondencias de estrellas.

ALONSO

¡Perdonadme, manos bellas,
que leo el postrer ringlón!
Lea: Dicen que viene el rey a Medina y dicen
verdad, pues habeis de venir vos, que sois rey
mío.
1725 Acabóseme el papel.

TELLO

Todo en el mundo se acaba.

ALONSO

Poco dura el bien.

TELLO

En fin,
le has leido por jornadas.

ALONSO

Espera, que aquí a la margen
1730 vienen dos o tres palabras.
Lea: Poneos esa banda al cuello.
¡Ay, si yo fuera la banda!

TELLO

Bien dicho, ¡por Dios! y entrar
con doña Inés en la plaza.

ALONSO

1735   ¿Dónde está la banda, Tello?

TELLO

A mí no me han dado nada.

ALONSO

¿Cómo no?

TELLO

Pues, ¿qué me has dado?

ALONSO

Ya te entiendo; luego saca
a tu elección un vestido.

TELLO

Esta es la banda.

ALONSO

1740   ¡Extremada!

TELLO

¡Tales manos la bordaron!

ALONSO

Demos orden que me parta.
Pero, ¡ay, Tello!

TELLO

¿Qué tenemos?

ALONSO

De decirte me olvidaba
1745   unos sueños que he tenido.

TELLO

¿Agora en sueños reparas?

ALONSO

No los creo, claro está,
pero dan pena.

TELLO

Eso basta.

ALONSO

No falta quien llama a algunos
1750 revelaciones del alma.

TELLO

¿Qué te puede suceder
en una cosa tan llana
como quererte casar?

ALONSO

Hoy, Tello, al salir el alba,
1755 con la inquietud de la noche
me levanté de la cama;
abrí la ventana aprisa;
y, mirando flores y aguas
que adornan nuestro jardín,
1760 sobre una verde retama
veo ponerse un jilguero,
cuyas esmaltadas alas
con lo amarillo añadían
flores a las verdes ramas.
1765 Y estando al aire trinando
de la pequeña garganta
con naturales pasajes [101]
las quejas enamoradas,
sale un azor de un almendro
1770 adonde escondido estaba,
y como eran en los dos

---

101 *Pasajes*: "En música es el tránsito o mutación, con arte o
harmonía, de una voz o de un tono a otro" (*Dicc. de Aut.*).

tan desiguales las armas,
tiñó de sangre las flores,
plumas al aire derrama.
1775 Al triste chillido, Tello,
débiles ecos del Aura
respondieron, y no lejos,
lamentando su desgracia,
su esposa, que en un jazmín
1780 la tragedia viendo estaba.
Yo, midiendo con los sueños
estos avisos del alma,
apenas puedo alentarme;
que, con saber que son falsas
1785 todas estas cosas, tengo
tan perdida la esperanza
que no me aliento a vivir.

TELLO

Mal a doña Inés le pagas
aquella heroica firmeza
1790 con que, atrevida, contrasta
los golpes de la fortuna.
Ven a Medina y no hagas
caso de sueños ni agüeros,
cosas a la fe contrarias.
1795 Lleva el ánimo que sueles,
caballos, lanzas y galas;
mata de envidia los hombres;
mata de amores las damas.
Doña Inés ha de ser tuya,
1800 a pesar de cuantos tratan
dividiros a los dos.

ALONSO

Bien dices; Inés me aguarda.
Vamos a Medina alegres.
Las penas anticipadas
1805 dicen que matan dos veces,

y a mí sola Inés me mata,
no como pena, que es gloria.

TELLO

Tú me verás en la plaza
hincar de rodillas toros
1810   delante de sus ventanas.

ACTO TERCERO

Personas del Acto tercero:

DON FERNANDO	EL REY	CRIADO MENDO
DON RODRIGO	EL CONDESTABLE	UNA SOMBRA
DON PEDRO	DOÑA INÉS	UN LABRADOR
DON ALONSO	DOÑA LEONOR	FABIA
		TELLO

*Suenen atabales y entren con lacayos y rejones
don Rodrigo y don Fernando*

RODRIGO

¡Poca dicha!

FERNANDO

¡Malas suertes! [102]

RODRIGO

¡Qué pesar!

FERNANDO

¿Qué se ha de hacer?

RODRIGO

Brazo, ya no puede ser
que en servir a Inés aciertes.

---

[102] *Suertes*: se refiere a la suertes de la corrida de toros a la
que está participando. Téngase en cuenta que hasta el siglo XVIII
la corrida era un ejercicio caballeresco, como las justas y torneos.

FERNANDO

Corrido [103] estoy.

RODRIGO

1815   Yo turbado.

FERNANDO

Volvamos a porfiar.

RODRIGO

Es imposible acertar
un hombre tan desdichado.
Para el de Olmedo, en efeto,
1820   guardó suertes la fortuna.

FERNANDO

No ha errado el hombre ninguna.

RODRIGO

Que la ha de errar os prometo.

FERNANDO

Un hombre favorecido,
Rodrigo, todo lo acierta.

RODRIGO

1825   Abrióle el amor la puerta
y a mí, Fernando, el olvido.
Fuera de esto, un forastero
luego se lleva los ojos.

FERNANDO

Vos teneis justos enojos;
1830   él es galán caballero,
mas no para escurecer
los hombres que hay en Medina.

---

103 *Corrido*: avergonzado.

RODRIGO

La patria me desatina, [104]
mucho parece mujer
1835   en que lo propio desprecia
y de lo ajeno se agrada.

FERNANDO

De siempre ingrata culpada
son ejemplos Roma y Grecia.

Dentro, ruido de pretales [105] *y voces.*

VOZ Iª

¡Brava suerte!

VOZ IIª

¡Con qué gala
quebró el rejón! [106]

FERNANDO

1840   ¿Qué aguardamos?
Tomemos caballos.

RODRIGO

Vamos.

VOZ Iª

¡Nadie en el mundo le iguala!

---

104   Rodrigo quiere decir que el desamor de su patria lo enlo-
quece.
105   *Pretales*: "Pretal. La faja de cuero que se pone al caballo
en el pecho, asida a la silla" (Covarrubias).
106   *Rejón*: "La suerte más gallarda y de más consideración para
un caballero era la de rejonear a caballo. El rejón era una especie
de dardo, de ocho palmos de longitud, con mango de madera y
punta de hierro, que el caballero debía clavar al toro desde la nuca
a la cruz y que, al clavarse, indefectiblemente se había de romper.
Por eso se llamaba a tal suerte *quebrar un rejón*" (J. Deleito y
Piñuela, *También se divierte el pueblo*, 2.ª ed., Madrid, Espasa-
Calpe, 1954, pág. 124).

FERNANDO

¿Oyes esa voz?

RODRIGO

No puedo
sufrirlo.

FERNANDO

Aun no lo encareces.

VOZ II^a

1845   ¡Vítor [107] setecientas veces
el caballero de Olmedo!

RODRIGO

¿Qué suerte quieres que aguarde,
Fernando, con estas voces?

FERNANDO

Es vulgo; ¿no le conoces?

VOZ I^a

1850   ¡Dios te guarde! ¡Dios te guarde!

RODRIGO

¿Qué más dijeran al rey?
Mas bien hacen; digan, rueguen,
que hasta el fin sus dichas lleguen.

FERNANDO

Fue siempre bárbara ley
1855   seguir aplauso vulgar
las novedades.

---

107 *Vítor*: "interjección de alegría con que se aplaude a algún
sujeto o alguna acción" (*Dicc. de Aut.*).

RODRIGO

El viene
a mudar caballo.

FERNANDO

Hoy tiene
la fortuna en su lugar.

Salen Tello, con rejón y librea, y don Alonso.

TELLO

¡Valientes suertes, por Dios!

ALONSO

1860   Dame, Tello, el alazán.

TELLO

Todos el lauro nos dan.

ALONSO

¿A los dos, Tello?

TELLO

A los dos;
que tú a caballo y yo a pie
nos habemos igualado.

ALONSO

1865   ¡Qué bravo, Tello, has andado!

TELLO

Seis toros desjarreté [108]
como si sus piernas fueran
rábanos de mi lugar. [109]

---

[108] *Desjarreté*: desjarretar (herir a la res en los jarretes, para cortar los tendones de sus patas traseras) era el oficio de los peones, después de retirarse los caballeros que habían rejoneado los toros.
[109] *Rábanos de mi lugar*: alusión al dicho *rábanos de Olmedo*; véase nota 66.

FERNANDO

Volvamos, Rodrigo, a entrar,
1870 que por dicha nos esperan,
aunque os parece que no.

RODRIGO

A vos, don Fernando, sí;
a mí no, si no es que a mí
me esperan para que yo
1875 haga suertes que me afrenten
o que algún toro me mate
o me arrastre o me maltrate,
donde con risa lo cuenten.

Vanse los dos.

TELLO

Aquéllos te están mirando.

ALONSO

1880 Ya los he visto envidiosos
de mis dichas y aun celosos
de mirarme a Inés mirando.

TELLO

¡Bravos favores te ha hecho
con la risa! Que la risa
1885 es lengua muda que avisa
de lo que pasa en el pecho.
No pasabas vez ninguna
que arrojar no se quería
del balcón.

ALONSO

¡Ay, Inés mía,
1890 si quisiese la fortuna
que a mis padres les llevase
tal prenda de sucesión!

TELLO

Sí harás, como la ocasión
deste don Rodrigo pase;
1895   porque satisfecho estoy
de que Inés por ti se abrasa.

ALONSO

Mientras una vuelta doy
a la plaza, ve corriendo
1900   y di que esté prevenida
Inés, porque en mi partida
la pueda hablar, advirtiendo
que si esta noche no fuese
a Olmedo, me han de contar
1905   mis padres por muerto, y dar
ocasión, si no los viese,
a esta pena, no es razón.
Tengan buen sueño, que es justo.

TELLO

Bien dices; duerman con gusto,
1910   pues es forzosa ocasión
de temer y de esperar.

Vase don Alonso.

ALONSO

Yo entro.

TELLO

Guárdete el cielo.
Pues puedo hablar sin recelo,
a Fabia quiero llegar.
1915   Traigo cierto pensamiento
para coger la cadena
a esta vieja, aunque con pena
de su astuto entendimiento.
No supo Circe, Medea

1920   ni Hécate [110] lo que ella sabe.
       Tendrá en el alma una llave,
       que de treinta vueltas sea.
       Mas no hay maestra [111] mejor
       que decirle que la quiero,
1925   que es el remedio primero
       para una mujer mayor;
       que con dos razones tiernas
       de amores y voluntad
       presumen de mocedad
1930   y piensan que son eternas.
       Acabóse; llego; llamo:
       ¡Fabia! Pero soy un necio,
       que sabrá que el oro precio
       y que los años desamo,
1935   porque se lo ha de decir
       el de las patas de gallo. [112]

                    Sale Fabia.

                       FABIA

       ¡Jesús! Tello, ¿aquí te hallo?
       ¡Qué buen modo de servir
       a don Alonso! ¿Qué es esto?
       ¿Qué ha sucedido?

                       TELLO

1940   No alteres
       lo venerable, pues eres
       causa de venir tan presto:

110   *Circe* y *Medea* fueron famosas hechiceras de la mitología
griega; *Hécate* era una diosa nocturna, símbolo de terror y superstición, asociada a toda clase de prácticas de hechicería y magia.
111   *maestra*: llave maestra.
112   *El de las patas de gallo*: el demonio. "Pata de gallo. Analó-
gicamente vale enredo o trampa con que engañosamente se intenta
obligar a otro a hacer alguna cosa" (*Dicc. de Aut.*).

que por verte anticipé
de don Alonso un recado.

FABIA

¿Cómo ha andado?

TELLO

1945   Bien ha andado,
porque yo le acompañé.

FABIA

¡Extremado fanfarrón!

TELLO

Pregúntalo al rey; verás
cuál de los dos hizo más,
1950 que se echaba del balcón
cada vez que yo pasaba.

FABIA

¡Bravo favor!

TELLO

                 Más quisiera
los tuyos.

FABIA

¡Oh, quién te viera!

TELLO

Esa hermosura bastaba
1955 para que yo fuera Orlando. [113]
¿Toros de Medina a mí?
Vive el cielo que les di
reveses, desjarretando
de tal aire, de tal casta,

---

[113] *Orlando*: héroe del poema del Ariosto, *Orlando furioso* (1516),
que tuvo mucho éxito en España.

1960 en medio del regocijo,
      que hubo toro que me dijo:
      Basta, señor Tello, basta.
      No basta, le dije yo;
      y eché, de un tajo volado,
1965 una pierna en un tejado.

FABIA

Y ¿cuántas tejas quebró?

TELLO

      Eso al dueño, que no a mí.
      Dile, Fabia, a tu señora
      que ese mozo que la adora
1970 vendrá a despedirse aquí;
      que es fuerza volverse a casa,
      porque no piensen que es muerto
      sus padres. Esto te advierto
      y, porque la fiesta pasa
1975 sin mí, y el rey me ha de echar
      menos —que en efeto soy
      su toricida—, [114] me voy
      a dar materia al lugar
      de vítores y de aplauso,
1980 si me das algún favor.

FABIA

Yo, ¿favor?

TELLO

Paga mi amor.

FABIA

¿Que yo tus hazañas causo?
Basta, que no lo sabía.
¿Qué te agrada más?

---

[114] *Toricida*: apelación jocosa del matador de toros.

TELLO

Tus ojos.

FABIA

1985   Pues daréte sus antojos.

TELLO

Por caballo, Fabia mía,
quedo confirmado ya. [115]

FABIA

Propio favor de lacayo.

TELLO

Más castaño soy que bayo.

FABIA

1990   Mira cómo andas allá,
que esto de no nos inducas
suelen causar los refrescos; [116]
no te quite los greguescos [117]
algún mozo de san Lucas, [118]
1995   que será notable risa,
Tello, que donde lo vea
todo el mundo un toro sea
sumiller [119] de tu camisa.

TELLO

Lo atacado [120] y el cuidado
2000   volverán por mi decoro.

---

[115] Tello no necesita anteojos como los que llevan los caballos
que entran en las corridas (anteojeras).

[116] El sentido es: ten cuidado al volver a la plaza, que los des-
cansos pueden ocasionar peligros.

[117] *Greguescos*: calzones.

[118] *Algún mozo de San Lucas*: algún toro, ya que el toro es el
animal que simboliza al evangelista San Lucas en el Apocalipsis.

[119] *Sumiller*: el criado encargado de vestir y desnudar a un
señor.

[120] *Atacado*: "atacar. Atar las calzas al jubón con las agujetas"
(Covarrubias).

FABIA

Para un desgarro de un toro,
¿qué importar estar atacado?

TELLO

Que no tengo a toros miedo.

FABIA

Los de Medina hacen riza [121]
2005 porque tienen ojeriza
con los lacayos de Olmedo.

TELLO

Como ésos ha derribado,
Fabia, este brazo español.

FABIA

¿Mas, que [122] te ha de dar el sol
2010 adonde nunca te ha dado?

Ruido de plaza y grita y digan dentro:

VOZ Iª

¡Cayó don Rodrigo!

ALONSO

¡Afuera!

VOZ IIª

¡Qué gallardo, qué animoso
don Alonso le socorre!

VOZ Iª

¡Ya se apea don Alonso!

VOZ IIª

2015 ¡Qué valientes cuchilladas!

---

[121] *Riza*: "el destrozo y estrago que se hace en alguna cosa" (*Dicc. de Aut.*).
[122] *¿Mas que...?* equivale al moderno *¿a que...?*

VOZ Iª

Hizo pedazos el toro.

Salgan los dos y don Alonso teniéndole.

ALONSO

Aquí tengo yo caballo,
que los nuestros van furiosos
discurriendo [123] por la plaza.
¡Animo!

RODRIGO

2020   Con vos le cobro.
La caída ha sido grande.

ALONSO.

Pues no será bien que al coso [124]
volvais; aquí habrá criados
que os sirvan, porque yo torno
2025 a la plaza. Perdonadme,
porque cobrar es forzoso
el caballo que dejé.

Vase y sale don Fernando.

FERNANDO

¿Qué es esto? ¡Rodrigo, y solo!
¿Cómo estais?

RODRIGO

            Mala caída,
2030 mal suceso, malo todo;
pero más, deber la vida
a quien me tiene celoso
y a quien la muerte deseo.

---

[123] *Discurriendo*: dando vueltas.
[124] *Coso*: "la plaza, sitio o lugar cerrado, donde se corren y lidian los toros y se ejecutan otras fiestas públicas" (*Dicc. de Aut.*).

FERNANDO

¡Que sucediese a los ojos
2035 del rey y que viese Inés
que aquel su galán dichoso
hiciese el toro pedazos
por libraros!

RODRIGO

Estoy loco.
No hay hombre tan desdichado,
2040 Fernando, de polo a polo.
¡Qué de afrentas, qué de penas,
qué de agravios, qué de enojos,
qué de injurias, qué de celos,
qué de agüeros, qué de asómbros!
2045 Alcé los ojos a ver
a Inés, por ver si piadoso
mostraba el semblante entonces,
que, aunque ingrato, necio adoro,
y veo que no pudiera
2050 mirar Nerón riguroso
desde la torre tarpeya
de Roma el incendio [125] como
desde el balcón me miraba;
y que luego, en vergonzoso
2055 clavel de púrpura fina
bañado el jazmín del rostro,
a don Alonso miraba
y que por los labios rojos
pagaba en perlas el gusto
2060 de ver que a sus pies me postro,

---

[125] El emperador romano Nerón sería el responsable del incendio
de Roma en el año 64; se dice que lo estuvo contemplando desde
lo alto del monte Capitolio, una de las siete colinas de Roma (la
roca Tarpeya estaba situada en aquella colina). De ahí se hizo el
romance viejo:

> "Mira Nero de Tarpeya
> a Roma cómo se ardía;
> gritos dan niños y viejos,
> y él de nada se dolía".

de la fortuna arrojado,
y de la suya envidioso.
Mas, ¡vive Dios que la risa,
primero que la de Apolo [126]
2065   alegre el oriente y bañe
el aire de átomos de oro,
se le ha de trocar en llanto,
si hallo al hidalguillo loco
entre Medina y Olmedo!

FERNANDO

2070   El sabrá ponerse en cobro.

RODRIGO

Mal conoceis a los celos.

FERNANDO

¿Quién sabe que no son monstruos?
Mas lo que ha de importar mucho
no se ha de pensar tan poco.

Vanse.

Salen el Rey, el Condestable y criados.

REY

2075   Tarde acabaron las fiestas;
pero ellas han sido tales
que no las he visto iguales.

CONDESTABLE

Dije a Medina que aprestas
para mañana partir;
2080   mas tiene tanto deseo
de que veas el torneo
con que te quiere servir

---

[126] *Apolo*: dios griego y romano de los oráculos, de la medicina,
de la poesía, de las artes, de los rebaños, del día y del sol. *La*
[risa] *de Apolo* es pues la salida del sol.

que me ha pedido, señor,
que dos días se detenga
vuestra alteza.

REY

2085   Cuando venga
pienso que será mejor.

CONDESTABLE

Haga este gusto a Medina
vuestra alteza.

REY

              Por vos sea,
aunque el infante desea,
2090   —con tanta prisa camina—
estas vistas de Toledo
para el día concertado.

CONDESTABLE

Galán y bizarro ha estado
el caballero de Olmedo.

REY

2095   ¡Buenas suertes, condestable!

CONDESTABLE

No sé en él cuál es mayor,
la ventura o el valor,
aunque es el valor notable.

REY

Cualquiera cosa hace bien.

CONDESTABLE

2100   Con razón le favorece
vuestra alteza.

REY

El lo merece,
y que vos le honreis también.

Vanse y salen don Alonso y Tello, de noche

TELLO

Mucho habemos esperado;
ya no puedes caminar.

ALONSO

2105   Deseo, Tello, excusar
a mis padres el cuidado.
A cualquier hora es forzoso
partirme.

TELLO

Si hablas a Inés
¿qué importa, señor, que estés
2110   de tus padres cuidadoso?
Porque os ha de hallar el día
en esas rejas.

ALONSO

No hará,
que el alma me avisará
como si no fuera mía.

TELLO

2115   Parece que hablan en ellas
y que es en la voz Leonor.

ALONSO

Y lo dice el resplandor
que da el sol a las estrellas.

Leonor, en la reja.

LEONOR

¿Es don Alonso?

ALONSO

Yo soy.

LEONOR

2120 Luego mi hermana saldrá,
porque con mi padre está
hablando en las fiestas de hoy.
Tello puede entrar, que quiere
daros un regalo Inés.

ALONSO

Entra, Tello.

TELLO

2125   Si después
cerraren y no saliere,
bien puedes partir sin mí,
que yo te sabré alcanzar.

ALONSO

¿Cuándo, Leonor, podré entrar
2130 con tal libertad aquí?

LEONOR

Pienso que ha de ser muy presto,
porque mi padre de suerte
te encarece que a quererte
tiene el corazón dispuesto.
2135 Y porque se case Inés,
en sabiendo vuestro amor,
sabrá escoger lo mejor
como estimarlo después.

Sale Doña Inés a la reja.

INÉS

¿Con quién hablas?

LEONOR

Con Rodrigo.

INÉS

2140 Mientes, que mi dueño es.

ALONSO

Que soy esclavo de Inés
al cielo doy por testigo.

INÉS

No sois sino mi señor.

LEONOR

Ahora bien, quieroos dejar,
2145 que es necedad estorbar,
sin celos, quien tiene amor.

INÉS

¿Cómo estais?

ALONSO

Como sin vida;
por vivir os vengo a ver.

INÉS

Bien había menester
2150 la pena desta partida
para templar el contento
que hoy he tenido de veros,
ejemplo de caballeros
y de las damas tormento.
2155 De todas estoy celosa;

que os alabasen quería,
y después me arrepentía,
de perderos temerosa.
¡Qué de varios pareceres,
2160   qué de títulos y nombres
os dio la envidia en los hombres
y el amor en las mujeres!
Mi padre os ha codiciado
por yerno para Leonor
2165   y agradecióle mi amor,
aunque celosa, el cuidado;
que habeis de ser para mí,
y así se lo dije yo,
aunque con la lengua no,
2170   pero con el alma sí.
Mas ¡ay! ¿Cómo estoy contenta
si os partís?

ALONSO

            Mis padres son
la causa.

INÉS

            Teneis razón;
mas dejadme que lo sienta.

ALONSO

2175   Yo lo siento y voy a Olmedo,
dejando el alma en Medina.
No sé cómo parto y quedo.
Amor la ausencia imagina,
los celos, señora, el miedo.
2180   Así parto muero y vivo,
que vida y muerte recibo.
Mas, ¿qué te puedo decir,
cuando estoy para partir,

puesto ya el pie en el estribo? [127]

2185 Ando, señora, estos días,
      entre tantas asperezas
      de imaginaciones mías,
      consolado en mis tristezas
      y triste en mis alegrías.

2190 Tengo, pensando perderte,
      imaginación tan fuerte,
      y así en ella vengo y voy,
      que me parece que estoy
      con las ansias de la muerte.

2195 La envidia de mis contrarios
      temo tanto que, aunque puedo
      poner medios necesarios,
      estoy entre amor y miedo
      haciendo discursos varios.

2200 Ya para siempre me privo
      de verte y de suerte vivo
      que, mi muerte presumiendo,
      parece que estoy diciendo
      señora, aquésta te escribo.

2205 Tener de tu esposo el nombre
      amor y favor ha sido;
      pero es justo que me asombre
      que amado y favorecido
      tenga tal tristeza un hombre.

2210 Parto a morir y te escribo
      mi muerte, si ausente vivo,
      porque tengo, Inés, por cierto
      que si vuelvo, será muerto,
      pues partir no puedo vivo.

2215 Bien sé que tristeza es;
      pero puede tanto en mí
      que me dice, hermosa Inés:
      "si partes muerto de aquí,

---

[127] *Puesto ya el pie en el estribo*: copla antigua ya glosada por
el mismo Lope en su comedia *El saber puede dañar* y citada por Cervantes en la dedicatoria de *Persiles y Sigismunda.*

¿cómo volverás después?"
2220   Yo parto, y parto a la muerte,
aunque morir no es perderte;
que si el alma no se parte,
¿cómo es posible dejarte,
cuanto más volver a verte?

INÉS

2225   Pena me has dado y temor
con tus miedos y recelos.
Si tus tristezas son celos,
ingrato ha sido tu amor.
Bien entiendo tus razones,
2230   pero tú no has entendido
mi amor.

ALONSO

Ni tú que han sido [128]
estas imaginaciones
sólo un ejercicio triste
del alma que me atormenta,
2235   no celos, que fuera afrenta
del nombre, Inés, que me diste.
De sueños y fantasías,
si bien falsas ilusiones,
han nacido estas razones,
2240   que no de sospechas mías.

Leonor sale a la reja.

INÉS

Leonor vuelve. ¿Hay algo?

LEONOR

Sí.

ALONSO

¿Es partirme?

[128] Verso corto. Podría leerse: "Ni tú lo que..."

LEONOR

Claro está ;
mi padre se acuesta ya,
y me preguntó por ti.

INÉS

2245 Vete, Alonso, vete. Adios.
No te quejes; fuerza es.

ALONSO

¿Cuándo querrá Dios, Inés,
que estemos juntos los dos?
Aquí se acabó mi vida,
2250 que es lo mismo que partirme.
Tello no sale o no puede
acabar de despedirse.
Voyme, que él me alcanzará.

*Al entrar, una sombra con una máscara negra
y sombrero y puesta la mano en el puño de la
espada, se le ponga delante.*

¿Qué es esto? ¿Quién va? De oirme
2255 no hace caso. ¿Quién es? Hable.
¡Que un hombre me atemorice,
no habiendo temido a tantos!
¿Es don Rodrigo? No dice
quién es.

SOMBRA

Don Alonso.

ALONSO

¿Cómo?

SOMBRA

Don Alonso.

ALONSO

2260   No es posible.
Mas otro será, que yo
soy don Alonso Manrique.
Si es invención, meta mano.
Volvió la espalda; seguirle
2265 desatino me parece.
¡Oh imaginación terrible!
¡Mi sombra debió de ser!
Mas no, que en forma visible
dijo que era don Alonso.
2270 Todas son cosas que finge
la fuerza de la tristeza,
la imaginación de un triste.
¿Qué me quieres, pensamiento,
que con mi sombra me afliges?
2275 Mira que temer sin causa
es de sujetos humildes.
O embustes de Fabia son,
que pretende persuadirme
porque no vaya a Olmedo,
2280 sabiendo que es imposible.
Siempre dice que me guarde
y siempre que no camine
de noche, sin más razón
de que la envidia me sigue.
2285 Pero ya no puede ser
que don Rodrigo me envidie,
pues hoy la vida me debe;
que esta deuda no permite
que un caballero tan noble
2290 en ningún tiempo la olvide.
Antes pienso que ha de ser
para que amistad confirme
desde hoy conmigo en Medina;
que la ingratitud no vive
2295 en buena sangre, que siempre
entre villanos reside.

En fin, es la quinta esencia
de cuantas acciones viles
tiene la bajeza humana
2300   pagar mal quien bien recibe.

Vase.

Salen don Rodrigo, don Fernando, Mendo y Laín

RODRIGO

Hoy tendrán fin mis celos y su vida.

FERNANDO

Finàlmente venís determinado.

RODRIGO

No habrá consejo que su muerte impida,
después que la palabra me han quebrado.
2305   Ya se entendió la devoción fingida;
ya supe que era Tello, su criado,
quien la enseñaba aquel latín que ha sido
en cartas de romance traducido.
¡Qué honrada dueña recibió en su casa
2310   don Pedro en Fabia! ¡Oh, mísera doncella!
Disculpo tu inocencia, si te abrasa
fuego infernal de los hechizos della.
No sabe, aunque es discreta, lo que pasa,
y así el honor de entrambos atropella.
2315   ¡Cuántas casas de nobles caballeros
han infamado hechizos y terceros!
Fabia, que puede trasponer un monte,
Fabia, que puede detener un río,
y en los negros ministros de Aqueronte [129]
2320   tiene, como en vasallos, señorío;
Fabia, que deste mar, deste horizonte,
al abrasado clima, al norte frío

---

[129] *Aqueronte*: río de los Infiernos en la mitología, cuya **guardia**
estaba encomendada a varios monstruos: Equidna, los perros del
Cocito, Cerbero, etc.

puede llevar un hombre por el aire,
¡le da liciones! ¿Hay mayor donaire?

FERNANDO

2325 Por la misma razón, yo no tratara
de más venganza.

RODRIGO

                    ¡Vive Dios, Fernando,
que fuera de los dos bajeza clara!

FERNANDO

No la hay mayor que despreciar amando.

RODRIGO

Si vos podeis, yo no.

MENDO

                    Señor, repara
2330 en que vienen los ecos avisando
de que a caballo alguna gente viene.

RODRIGO

Si viene acompañado, miedo tiene.

FERNANDO

No lo creas, que es mozo temerario.

RODRIGO

Todo hombre con silencio esté escondido.
2335 Tú, Mendo, el arcabuz, si es necesario,
tendrás detrás de un árbol prevenido.

FERNANDO

¡Qué inconstante es el bien! ¡qué loco y vario!
Hoy a vista de un rey salió lucido,
admirado de todos a la plaza,
2340 ¡y ya tan fiera muerte le amenaza!

Escóndanse y salga don Alonso.

ALONSO

Lo que jamás he temido,
que es algún recelo o miedo,
llevo caminando a Olmedo;
pero tristezas han sido.
2345 Del agua el manso rüido
y el ligero movimiento
destas ramas con el viento
mi tristeza aumentan más.
Yo camino y vuelve atrás
2350 mi confuso pensamiento.
De mis padres el amor
y la obediencia me lleva,
aunque ésta es pequeña prueba
del alma de mi valor.
2355 Conozco que fue rigor
el dejar tan presto a Inés.
¡Qué escuridad! Todo es
horror, hasta que el aurora

[*Toca*]

en las alfombras de Flora [130]
2360 ponga los dorados pies.
Allí cantan. ¿Quién será?
Mas será algún labrador
que camina a su labor;
lejos parece que está,
2365 pero acercándose va.
Pues, ¿cómo? ¿Lleva instrumento
y no es rústico el acento
sino sonoro y süave?
¡Qué mal la música sabe
2370 si está triste el pensamiento!

*Canten desde lejos en el vestuario y véngase
acercando la voz, como que camina.*

----

130 *Flora*: diosa de las flores y de los jardines.

LABRADOR

Que de noche le mataron
al caballero,
la gala de Medina,
la flor de Olmedo.

ALONSO

2375 ¡Cielos! ¿Qué estoy escuchando?
Si es que avisos vuestros son,
ya que estoy en la ocasión,
¿de qué me estais informando?
Volver atrás, ¿cómo puedo?
2380 Invención de Fabia es
que quiere, a ruego de Inés,
hacer que no vaya a Olmedo.

LABRADOR

Sombras le avisaron
que no saliese,
2385 y le aconsejaron
que no se fuese
el caballero,
la gala de Medina,
la flor de Olmedo.

ALONSO

2390 ¡Ola, buen hombre, el que canta!

LABRADOR

¿Quién me llama?

ALONSO

Un hombre soy
que va perdido.

LABRADOR

Ya voy.

Sale un labrador.

LABRADOR

Veisme aquí.

ALONSO

Todo me espanta.
¿Dónde vas?

LABRADOR

A mi labor.

ALONSO

2395 ¿Quién esa canción te ha dado,
que tristemente has cantado?

LABRADOR

Allá en Medina, señor.

ALONSO

A mí me suelen llamar
el caballero de Olmedo
y yo estoy vivo.

LABRADOR

2400   No puedo
deciros deste cantar
más historias ni ocasión
de que a una Fabia la oí.
Si os importa, yo cumplí
2405 con deciros la canción.
Volved atrás; no paseis
deste arroyo.

ALONSO

En mi nobleza
fuera ese temor bajeza.

LABRADOR

Muy necio valor teneis.
2410 Volved, volved a Medina.

ALONSO

Ven tú conmigo.

LABRADOR

No puedo.

ALONSO

¡Qué de sombras finge el miedo!
¡Qué de engaños imagina!
Oye, escucha. ¿Dónde fue,
2415 que apenas sus pasos siento?
¡Ah, labrador! ¡Oye, aguarda!
Aguarda responde el eco...
¿Muerto yo? Pero es canción
que por algún hombre hicieron
2420 de Olmedo y los de Medina
en este camino han muerto.
A la mitad dél estoy.
¿Qué han de decir si me vuelvo?
Gente viene; no me pesa.
2425 Si allá van, iré con ellos.

Salgan don Rodrigo y don Fernando y su gente.

RODRIGO

¿Quién va?

ALONSO

Un hombre. ¿No me ven?

FERNANDO

Deténgase.

ALONSO

Caballeros,
si acaso necesidad
los fuerza a pasos como éstos,
2430   desde aquí a mi casa hay poco.
No habré menester dineros,
que de día y en la calle
se los doy a cuantos veo
que me hacen honra en pedirlos.

RODRIGO

2435   Quítese las armas luego.

ALONSO

¿Para qué?

RODRIGO

Para rendillas

ALONSO

¿Saben quién soy?

FERNANDO

El de Olmedo,
el matador de los toros,
que viene arrogante y necio
2440   a afrentar los de Medina;
el que deshonra a don Pedro
con alcagüetes infames.

ALONSO

Si fuérades a lo menos
nobles vosotros, allá,
2445   pues tuvistes tanto tiempo,
me hablárades y no agora
que solo a mi casa vuelvo;

allá, en las rejas adonde
dejastes la capa huyendo
2450 fuera bien, y no en cuadrilla,
a media noche, soberbios.
Pero confieso, villanos,
que la estimación os debo,
que aun siendo tantos, sois pocos.

Riñan.

RODRIGO

2455 Yo vengo a matar; no vengo
a desafíos, que entonces
te matara cuerpo a cuerpo.
Tírale.

*Disparen
dentro.*

ALONSO

¡Traidores sois!
Pero sin armas de fuego
2460 no pudiérades matarme.
¡Jesús!

FERNANDO

Bien lo has hecho, Mendo.

ALONSO

¡Qué poco crédito dí
a los avisos del cielo!
Valor propio me ha engañado,
2465 y muerto envidias y celos.
¡Ay de mí! ¿Qué haré en un campo
tan solo?

Sale Tello.

TELLO

Pena me dieron
estos hombres que a caballo
van hacia Medina huyendo.
2470 Si a don Alonso habían visto
pregunté; no respondieron.
¡Mala señal! Voy temblando.

ALONSO

¡Dios mío! ¡Piedad! ¡Yo muero!
Vos sabeis que fue mi amor
2475 dirigido a casamiento.
¡Ay, Inés!

TELLO

De lastimosas
quejas siento tristes ecos.
Hacia aquella parte suenan.
No está del camino lejos
2480 quien las da. No me ha quedado
sangre. Pienso que el sombrero
puede tenerse en el aire
solo en cualquier cabello.
¡Ah, hidalgo!

ALONSO

¿Quién es?

TELLO

¡Ay, Dios!
2485 ¿Por qué dudo lo que veo?
Es mi señor. ¡Don Alonso!

ALONSO

Seas bien venido, Tello.

TELLO

¿Cómo, señor, si he tardado?
¿Cómo, si a mirarte llego,
2490   hecho una fiera de sangre? [131]
¡Traidores, villanos, perros,
volved, volved a matarme,
pues habeis, infames, muerto
el más noble, el más valiente,
2495   el más galán caballero
que ciñó espada en Castilla!

ALONSO

Tello, Tello, ya no es tiempo
más que de tratar del alma.
Ponme en tu caballo presto
2500   v llévame a ver mis padres.

TELLO

¡Qué buenas nuevas les llevo
de las fiestas de Medina!
¿Qué dirá aquel noble viejo?
¿Qué hará tu madre y tu patria?
2505   ¡Venganza, piadosos cielos!

*Salen don Pedro, doña Inés, doña Leonor,
Fabia y Ana.*

INÉS

¿Tantas mercedes ha hecho?

PEDRO

Hoy mostró con su rëal
mano, heroica y liberal,
la grandeza de su pecho.
2510   Medina está agradecida,
y, por la que he recibido,
a besarla os he traido.

---

[131] *una fiera*: no hace buen sentido. La ed. acad. corrige "un piélago", arbitrariamente.

LEONOR

¿Previene ya su partida?

PEDRO

Sí, Leonor, por el infante
2515   que aguarda al rey en Toledo.
En fin, obligado quedo,
que por merced semejante
más por vosotras lo estoy,
pues ha de ser vuestro aumento.

LEONOR

2520   Con razón estás contento.

PEDRO

Alcaide de Burgos soy;
besad la mano a su alteza.

INÉS

¿Ha de haber ausencia, Fabia?

FABIA

Más la fortuna te agravia.

INÉS

2525   No en vano tanta tristeza
he tenido desde ayer.

FABIA

Yo pienso que mayor daño
te espera, si no me engaño,
como suele suceder,
2530   que en las cosas por venir
no puede haber cierta ciencia.

INÉS

¿Qué mayor mal que la ausencia,
pues es mayor que morir?

PEDRO

Ya, Inés, ¿qué mayores bienes
2535 pudiera yo desear,
si tú quisieras dejar
el propósito que tienes?
No porque yo te hago fuerza,
pero quisiera casarte.

INÉS

2540 Pues tu obediencia no es parte
que mi propósito tuerza,
me admiro de que no entiendas
la ocasión.

PEDRO

Yo no la sé.

LEONOR

Pues yo por ti la diré,
2545 Inés, como no te ofendas.
No la casas a su gusto.
Mira, ¡qué presto!

PEDRO

Mi amor
se queja de tu rigor,
porque, a saber tu disgusto,
2550 no lo hubiera imaginado.

LEONOR

Tiene inclinación Inés
a un caballero, depués
que el rey de una cruz le ha honrado;
que esto es deseo de honor
2555 y no poca honestidad.

PEDRO

Pues si él tiene calidad
y tú le tienes amor,
¿quién ha de haber que replique?
Cásate en buen hora, Inés;
2560 pero ¿no sabré quién es?

LEONOR

Es don Alonso Manrique.

PEDRO

¡Albricias hubiera dado!
¿El de Olmedo?

LEONOR

Sí, señor.

PEDRO

Es hombre de gran valor
2565 y desde agora me agrado
de tan discreta elección;
que si el hábito rehusaba
era porque imaginaba
diferente vocación.
2570 Habla, Inés, no estés ansí.

INÉS

Señor, Leonor se adelanta,
que la inclinación no es tanta
como ella te ha dicho aquí.

PEDRO

Yo no quiero examinarte
2575 sino estar con mucho gusto
de pensamiento tan justo
y de que quieras casarte.
Desde agora es tu marido;

que me tendré por honrado
2580 de un yerno tan estimado,
tan rico y tan bien nacido.

INÉS

Beso mil veces tus pies.
¡Loca de contento estoy,
Fabia!

FABIA

El parabién te doy,
2585 si no es pésame después.

LEONOR

El rey.

PEDRO

Llegad a besar
su mano.

INÉS

¡Qué alegre llego!

*Salen el Rey, el Condestable y gente y don Rodrigo
y don Fernando*

PEDRO

Dé vuestra alteza los pies
por la merced que me ha hecho
2590 del alcaidía de Burgos
a mí y a mis hijas.

REY

Tengo
bastante satisfación
de vuestro valor, don Pedro,
y de que me habeis servido.

PEDRO

2595 Por lo menos lo deseo.

REY

¿Sois casadas?

INÉS

No, señor.

REY

¿Vuestro nombre?

INÉS

Inés.

REY

¿Y el vuestro?

LEONOR

Leonor.

CONDESTABLE

Don Pedro merece
tener dos gallardos yernos
2600 que están presentes, señor,
y que yo os pido por ellos
los caseis de vuestra mano.

REY

¿Quién son?

RODRIGO

Yo, señor, pretendo,
con vuestra licencia, a Inés.

FERNANDO

2605 Y yo a su hermana le ofrezco
la mano y la voluntad.

REY

En gallardos caballeros
empleareis vuestras dos hijas,
don Pedro.

PEDRO

          Señor, no puedo
2610 dar a Inés a don Rodrigo
porque casada la tengo
con don Alonso Manrique,
el caballero de Olmedo,
a quien hicistes merced
de un hábito.

REY

2615   Yo os prometo
que la primera encomienda
sea suya...

RODRIGO

¡Extraño suceso!

FERNANDO

Ten prudencia.

REY

          ...porque es hombre
de grandes merecimientos.

Sale Tello.

TELLO

¡Dejadme entrar!

REY

2620   ¿Quién da voces?

CONDESTABLE

Con la guarda un escudero
que quiere hablarte.

REY

Dejadle.

CONDESTABLE

Viene llorando y pidiendo
justicia.

REY

Hacerla es mi oficio;
2625 eso significa el cetro.

TELLO

Invictísimo don Juan,
que del castellano reino,
a pesar de tanta envidia, [132]
gozas el dichoso imperio;
2630 con un caballero anciano
vine a Medina, pidiendo
justicia de dos traidores.
Pero el doloroso exceso
en tus puertas le ha dejado,
2635 si no desmayado, muerto.
Con esto, yo que le sirvo
rompí con atrevimiento
tus guardas y tus oídos.
Oye, pues te puso el cielo
2640 la vara de su justicia
en tu libre entendimiento
para castigar los malos
y para premiar los buenos.
La noche de aquellas fiestas

132 Alusión a las luchas políticas del reinado de Juan II: las
ambiciones de los Infantes de Aragón, la oposición al valido Álvaro
de Luna, etc.

2645 que a la Cruz de Mayo hicieron
caballeros de Medina,
para que fuese tan cierto
que donde hay cruz hay pasión,
por dar a sus padres viejos
2650 contento de verle libre
de los toros, menos fieros
que fueron sus enemigos,
partió de Medina a Olmedo
don Alonso, mi señor,
2655 aquel ilustre mancebo
que mereció tu alabanza,
que es raro encarecimiento.
Quedéme en Medina yo,
como a mi cargo estuvieron
2660 los jaeces y caballos,
para tener cuenta dellos.
Ya la destocada noche
de los dos polos en medio
daba a la traición espada,
2665 mano al hurto, pies al miedo,
cuando partí de Medina;
y, al pasar un arroyuelo,
puente y señal del camino,
veo seis hombres corriendo
2670 hacia Medina, turbados
y, aunque juntos, descompuestos.
La luna, que salió tarde,
menguado el rostro sangriento,
me dio a conocer los dos;
2675 que tal vez alumbra el cielo
con las hachas de sus luces
el más escuro silencio
para que vean los hombres
de las maldades los dueños,
2680 porque a los ojos divinos
no hubiese humanos secretos.
Paso adelante ¡ay de mí!

y envuelto en su sangre veo
a don Alonso espirando.
2685   Aquí, gran señor, no puedo
ni hacer resistencia al llanto
ni decir el sentimiento.
En el caballo le puse,
tan animoso que creo
2690   que pensaban sus contrarios
que no le dejaban muerto.
A Olmedo llegó con vida
cuanto fue bastante, ¡ay cielo!
para oir la bendición
2695   de dos miserables [133] viejos,
que enjugaban las heridas
con lágrimas y con besos.
Cubrió de luto su casa
y su patria, cuyo entierro
2700   será el del Fénix [134] señor,
después de muerto viviendo
en las lenguas de la fama,
a quien conocen respeto
la mudanza de los hombres
2710   y los olvidos del tiempo.

REY

¡Extraño caso!

INÉS

¡Ay de mí!

PEDRO

Guarda lágrimas y estremos,
Inés, para nuestra casa. [135]

---

[133] *Miserables*: desdichados.
[134] *Fénix*: véase nota 64.
[135] Falta un verso después de éste.

INÉS

Lo que de burlas te dije,
2715 señor, de veras te ruego.
Y a vos, generoso rey,
destos viles caballeros
os pido justicia.

REY

Dime,
pues pudiste conocerlos,
2720 quién son esos dos traidores,
dónde están, que ¡vive el cielo
de no me partir de aquí
hasta que los deje presos!

TELLO

Presentes están, señor:
2725 don Rodrigo es el primero
y don Fernando el segundo.

CONDESTABLE

El delito es manifiesto;
su turbación lo confiesa.

RODRIGO

Señor, escucha.

REY

Prendedlos,
2730 y en un teatro, mañana,
cortad sus infames cuellos.

Fin de la trágica historia
del caballero de Olmedo.

ÍNDICE DE LÁMINAS

ESTE LIBRO
SE TERMINÓ DE IMPRIMIR
EL DÍA 3 DE SEPTIEMBRE DE 1990